¿Quiér los colores!

by
Alister Ramírez Márquez, Ph.D.
Alicia Bralove, Ph.D.

3rd edition

Wayside
PUBLISHING

(888) 302-2519
www.waysidepublishing.com

Acknowledgements

To the adorable Beagle Darwin.

Se lo dedicamos a todos los maestros de español y a nuestros queridos colegas.

Dr. Alister Ramírez Márquez is the author of **Reportaje a once escritores norteamericanos** (1996), and **Mi vestido verde esmeralda** (2003, Second Edition 2006), which was translated into English, **My Emerald Green Dress** (2010) and Italian, **Il mio vestito verde smeraldo** (2010). The novel was bestowed the 2005 Best International Literature Prize by the Art Critics Circle of Chile. His other books are **Andrés Bello: crítico** (2005), and his second novel is entitled **Los sueños de los hombres se los fuman las mujeres** (2009). Ramírez Márquez teaches Spanish language and Hispanic American literature at Borough of Manhattan Community College, The City University of New York. He is a contributor to *Academia Norteamericana de la Lengua Española* (ANLE).

Dr. Alicia Bralove is an Associate Professor of Modern Languages at Bronx Community College of the City University of New York. She taught High School Spanish and French for over a decade. Prior to that, she lived in Madrid, Spain, for eight years where she taught English. She has published articles on the characterization of women in the fiction of Mercè Rodoreda as well as the issues involved in Victoria Kent's views on granting women the right to vote in Spain during the 1930s. In addition to her teaching and research, she is a literary and technical translator. Dr. Bralove travels extensively, and spends much time in Colombia. She is also the author of the book *The Road not Taken: The Portrayal of Women in Ten French Novels on the Spanish Civil War (1936-1939)*, currently in press.

Illustrations by Scot Richie

Scot Ritchie is an award winning illustrator who lives in Vancouver, Canada. He has illustrated over 50 books and worked with clients as diverse as The Wall Street Journal, AT&T, New York Magazine and the National Film Board of Canada. Some of his books have been translated into Korean, Polish, Finnish, Arabic and Dutch.

To see more of Scot's work, please visit: www.scotritchie.com

Table of Contents

Glosario

Synopsis

¿Quién se robó los colores? takes the reader on a thrilling journey through pre-Columbian myths and virtual art. It is a story about the adventures of a butterfly-girl, Are, who travels through different kingdoms of colors. The colors are housed in the computer of an evil, greedy man, Taya, who tries to control the world out of idleness and boredom. Are's mission is to restore the colors' power. Her deeds are constantly challenged, and in a final confrontation with Taya, she emerges victorious.

Introduction

In the beginning of time, the first man, Sintana, sneezed. His body shook, and beautifully colored butterflies came out of his mouth, eyes, ears, nose and hands. These butterflies migrated to their respective monochromatic kingdoms, except for one, Are, who got lost. She fell asleep and awakened to a world that was entirely dark and silent. Suddenly, she heard the deep voice of a snake who informed her of what had taken place and explained to her that she had the power to make things right by saving the colors from Taya, a mean man who controlled the world from a computer terminal. The snake then gives Are a magic yellow amethyst which will help and protect her. At the same time, the snake transforms her into a creature that resembles a girl.

Adventures

The first kingdom is green. Are meets a huge flying leaf, Victoria Regia, who transports her to the other color worlds. The next one is orange, where horses abound, and she makes a friend, Rómulo, who helps her find her way. Then, the kingdom is violet, but unbeknownst to Are, it is Taya's territory.

Now she is in the blue kingdom, where she eats forbidden food, which turns her into a blue-blooded black cat. Victoria Regia, Are's friend, is taken prisoner. Martín, a friend from another kingdom, helps to free both of them.

They are in the yellow kingdom, or desert, where Vicky dies from dehydration. Alone, Are proceeds to the final monochromatic kingdom, which is red.

Conclusion

An army of hungry ants transports a sleeping Are underground, where this time she is saved by gushes of water. She arrives to Taya's world. Are finds him in a room full of mirrors, and he tries to trap her in his net. However, Are accesses the keyboard of a computer and the colors are all released. Every kingdom recovers its original beauty.

To the Instructor

¿Quién se robó los colores? is an intermediate level Spanish reader. It is ideal for heritage speakers or learners who studied Spanish previously and wish to review. Each of this reader's ten chapters contains pre-reading, reading and postreading exercises. There is emphasis on vocabulary in context, expressions, grammar and exercises. The vocabulary covers colors, body parts, the senses, and some names of animals and plants. The reader focuses on the present, preterit, imperfect, future, present perfect and past perfect tenses. Reflexive verbs are introduced in chapter 5. Students will also be exposed to direct and indirect object pronouns, and commands.

The combination of exercises is designed to develop all language skills: reading, listening, speaking and writing. At the end of each chapter, students will have the chance to create their own story. The questions will encourage them to use the language in context, which means to utilize the vocabulary, idiomatic expressions, and structures already studied to communicate their own world. There is also an illustration for each chapter, which students can color according to the kingdom.

This Spanish reader is an enjoyable way to learn about myths. *¿Quién se robó los colores?* is based on a precolumbian myth: the origin of the first man on Earth. One should bear in mind that some characters' names and those of animals in the story are symbolic, for example:

Are: In the mythology of the Muzo[1] Indians Are was a spirit or shadow that appeared in the beginning of the world. She was in a reclining position on the other side of the Magadalena River. She spent her time sculpting wooden figures of men and women. Then she would throw them into the river so that they would acquire vitality, reproduce and populate Muzo's earth. Once the earth was populated by the Muzos, Are's shadow disappeared.

Victoria Regia: An aquatic plant, which is believed to have the largest leaves in the world. It is found in the Amazon basin.

Taya: An aggressive, poisonous snake that inhabits the western plains of Cundinamarca in Colombia.

Butterfly: Is a symbol of rebirth. It is also emblematic of the soul, light, life and transmutation.

Vulture: Represents the idea of the mother, nature, return, and death. It is the protective force or spiritual advisor.

Serpent: Energy, strength. Serpents have life-protecting powers and represent immortality. In many cultures they are associated with the female image and fertility. In other cultures, they symbolize seduction, danger and betrayal. They have also been known to represent the guardian spirit of peoples' homes.

---

1   The Muzo Indians fiercely and successfully resisted the Spanish attempts at conquest for almost 20 years, but in 1555 were partially subdued by the Spanish under Luis Lanchero, who in the same year founded the town of Villa de Santísima Trinidad de los Muzos, at the foot of the Itoco mountains, rich in emeralds. The Muzos were located in what is today the region of Boyacá, Colombia.

How to use the book:

Suggestions for using ¿*Quién se robó los colores?* in the classroom:

Before beginning:

Familiarize students with universal myths by asking them to tell different stories that they have heard about how human beings were created. For instance, according to Mayan belief, the first humans were made out of mud.

Review the basic structure of an epic story: the hero's mission, how s/he overcomes obstacles, and finally how the hero achieves victory. *The Lord of the Rings* could serve as an example.

Explain to students that there are expressions and concepts in each language that can be adapted into another language, but a literal translation is often inexact. The footnotes are designed to facilitate meaning in this regard.

Prereading:

Use the title of each chapter to introduce the topic of the reading.

- Introduce vocabulary in each section by asking students to recognize words in Spanish whose spelling or pronunciation is similar to English.
- After the first chapter, prepare students for the reading of the next chapter by reviewing the previous chapter. Then introduce tenses and grammar exercises from the reader. This will help students infer what will be the focus of the reading.

Reading:

Do the exercises in order.

Postreading:

- Ask the students what the next hero's adventure might be.

- Connect the story to their own lives, by using the *preguntas personales* at the end of each chapter.

Reflection:

Although the grammatical exercises will help students learn the language, the reading and comprehension of the story will make them more aware of aspects of pre-Columbian cultures including some indigenous traditions that are still practiced in communities throughout the Hispanic-American world.

Capítulo I

a. Vocabulario

Busque el significado de las palabras de la columna A y escoja la definición apropiada en la columna B.

A	B
a. Idioma	1. Insecto
b. Mariposa	2. Contrario de mujer
c. Hombre	3. Para ver
d. País	4. Muy grande
e. Tormenta	5. Para comer
f. Boca	6. Colombia
g. Ojos	7. Para oler
h. Nariz	8. Español
i. Mano	9. Eléctrica
j. Gigantesco	10. Para escribir

b. Palabras similares en español e inglés

Haga una lista de palabras parecidas en los dos idiomas del capítulo I (*El nacimiento de las mariposas*).

c. Expresiones

Estudie las siguientes oraciones:

En un país muy lejano	In a faraway land…
Hablar el mismo idioma	To speak the same language
Con todo el corazón	With all one's heart
Olor a Arco Iris	The aroma of a rainbow
Todo fue luz	There was light everywhere.
Durante días enteros	For days at a time…

d. Uso de verbos en contexto

Presente de indicativo de algunos verbos irregulares (Verb to be)

	SER	ESTAR	TENER *(to have)*
Yo	soy	estoy	tengo
Tú	eres	estás	tienes
Él-Ella-Usted	es	está	tiene
Nosotros/as	somos	estamos	tenemos
Vosotros/as	sois	estáis	tenéis
Ellos/as-Ustedes	son	están	tienen

General Uses of **ser**:

Origen:	Soy latino.
Nacionalidad:	Eres peruana.
Descripción:	Es inteligente.
La hora:	Es la una (1:00) en punto. Son las dos (2:00).

General Uses of **estar**:

Lugar:	Estoy en Arizona.
Salud:	Estoy enfermo/bien/mal.
Estados de ánimo:	Estás cansada/nerviosa/preocupada.
Gerundio:	Estamos aprendiendo español.

Some Expressions with **tener** as **verb to be**:

Tengo veinte años.

Tengo calor en el restaurante.

Tengo mucho cuidado con las serpientes.

Tengo mucho frío en el teatro.

Tengo mucha hambre en clase.

Tengo mucho miedo a un león con hambre.

Tengo prisa cuando voy al trabajo.

Tengo razón/ no tengo razón.

Tengo mucha sed y pienso en agua fría.

Tengo sueño en el laboratorio.

Tengo suerte cuando Colombia gana un partido de fútbol.

Ejemplos con los verbos **ser/estar/tener (verb to be)**:

Soy Ana.	(**I am** Ana.)
Estoy en clase.	(**I am** in class.)
Tengo dieciocho años.	(**I am** eighteen years old.)
Él es Daniel.	(**He is** Daniel.)
Daniel está en el baño.	(**Daniel is** in the bathroom.)
Daniel tiene hambre.	(**Daniel is** hungry.)
Ellos son estudiantes.	(**They are** students.)
Ellos están en el parque.	(**They are** in the park.)
Ellos tienen calor.	(**They are** hot.)

Ejercicios:

Escriba la forma correcta del verbo **ser/estar/tener** en primera persona del singular (yo):

1. _____ colombiano.

2. _____ en Colombia.

3. _____ calor en el tren.

4. _____ dominicano y vivo en Manhattan.

5. _____ en México de vacaciones.

6. _____ sed y tomo agua.

7. _____ chicano y vivo en California.

8. _____ en San José.

9. _____ suerte porque no estoy enfermo.

10. _____ de Estados Unidos.

Ser o Estar:

Yo_____Víctor Cruz._____de Brooklyn, Nueva York._____ americano pero mis padres_____de la República Dominicana y Puerto Rico. Mi mamá_____de Santo Domingo y mi padre de Bayamón. Mi mamá_____muy inteligente y trabajadora. A mi madre le gusta preparar las comidas dominicanas como el mangú y los chicharrones de pollo. Mi papá_____muy alegre. A mi padre le gusta el lechón. Él también_____un buen cocinero y prepara muy bien el mojito. Él_____músico y toca muy bien la tambora. Ahora él_____en San Juan en un concierto. Mi mamá_____trabajando en un hospital. Ella_____doctora y trabaja muchas horas. Cuando yo_____enfermo mi mamá me da las medicinas. Tengo dos hermanos y ellos_____en la universidad. Ellos quieren_____profesionales y también les gusta la música. Mi hermana toca el piano y ella_____muy triste porque no puede viajar con mi padre al concierto en San Juan, allí van a_____los cantantes Juanes y Shakira. Ellos_____colombianos. A mi hermano le gusta la guitarra clásica y yo toco la eléctrica. _____una familia de músicos.

Presente de indicativo

Para conjugar los verbos terminados en -**AR** (amar, hablar, etc), primera conjugación, se elimina -**AR** de la raíz y se añaden las terminaciones: -o, -as, -a, -amos, -áis, -an de acuerdo con el pronombre.

Para conjugar los verbos terminados en –**ER** (beber, comer, etc), segunda conjugación, se elimina –**ER** de la raíz y se añaden las terminaciones: -o, -es, -e, -emos, -éis, -en de acuerdo con el pronombre. Los terminados en –**IR** (escribir, vivir, etc), tercera conjugación, se elimina –**IR** de la raíz y se añaden las terminaciones: -o, -es, -e, -imos, -ís, -en de acuerdo con el pronombre.

Presente de indicativo de verbos regulares

	AR	ER	IR
	Hablar	**Beber**	**Escribir**
Yo	hablo	como	vivo
Tú	hablas	comes	vives
Él	habla	come	vive
Ella	habla	come	vive
Usted	habla	come	vive
Nosotros/as	hablamos	comemos	vivimos
Vosotros/as	habláis	coméis	vivís
Ellos/as/Ustedes	hablan	comen	viven

Ejercicios:

1. Isabel_____(trabajar) en una tienda de moda.

2. La clase_____(terminar) a las 11:00 en punto.

3. Yo no_____(comprar) carne en el supermercado.

4. ¿Cuándo_____(hablar) tú con tu amiga Paula?

5. Nosotros_____(bailar) todos los sábados.

6. El gato_____(beber) agua.

7. Tú_____(esperar) a la profesora en la cafetería.

8. Yo_____(caminar)al trabajo desde la universidad.

9. María Teresa_____(buscar) su bicicleta.

10. ¿_____(nadar) ustedes en la piscina pública?

11. Yo_____(escuchar) la letra de la canción.

12. ¿Por qué _____(tirar) tú la toalla?

13. Nosotros_____(viajar) a Roma el martes.

14. Florentina y su hermana_____(pagar) la cuenta.

Verbos de cambio radical (Stem-changing verbs)

Los verbos de cambio radical en Presente Indicativo mantienen las terminaciones de la primera, segunda y tercera conjugaciones, pero a la vocal que se le pone la fuerza de la voz cambia al conjugar el verbo. Con nosotros y vosotros la vocal no cambia.

Presente de indicativo

	e-ie	o-ue	e-i
	Empezar	**Volver**	**Pedir**
Yo	emp**ie**zo	v**ue**lvo	p**i**do
Tú	emp**ie**zas	v**ue**lves	p**i**des
Él	emp**ie**za	v**ue**lve	p**i**de
Ella	emp**ie**za	v**ue**lve	p**i**de
Usted	emp**ie**za	v**ue**lve	p**i**de
Nosotros/as	empez**amos**	volv**emos**	ped**imos**

| Vosotros/as | empez**áis** | volv**éis** | ped**ís** |
| Ellos/as/Ustedes | emp**iezan** | v**ue**l**ven** | p**iden** |

Lista de verbos frecuentes de cambio radical

e-ie	o-ue	e-i
Cerrar	almorzar	decir
Comenzar	contar	repetir
Entender	dormir	seguir
Pensar	encontrar	conseguir
Preferir	poder (infinitivo)	despedir
Querer	recordar	perseguir

Ejercicios:

1. Él_____(cerrar) la ventana porque hace frío.

2. La clase_____(comenzar) a las 9:00 en punto.

3. Yo no_____(entender) la fórmula.

4. ¿Cuándo_____(pensar) tú hacer la tarea?

5. Nosotros_____(preferir) la bachata.

6. El perro_____(querer) agua.

7. Tú_____(almorzar) en la cafetería.

8. Yo_____(contar) ¿Quién se robó los colores?

9. Beatriz siempre_____(dormir) hasta el mediodía.

10. ¿_____(poder) tú abrir la puerta?

11. Yo_____(recordar) la letra del merengue.

12. ¿Por qué no_____(decir) tú la verdad?

13. Nosotros_____(repetir) los versos de Neruda.

14. Florentina y su hermana_____(seguir) el camino.

Ejercicios:

Completar los espacios en blanco con la siguiente lista de

verbos. Por favor conjugue los verbos en Presente:

Atrapar	Deber
Buscar	Desaparecer
Brotar	Despertar
Confundir	Imaginar
Conocer	Intentar

Yo _____ muchas cosas, por ejemplo: de mis ojos _____ mariposas azules. Después yo _____ los insectos con mis manos. Yo _____ un jardín botánico con mariposas de todos los colores. Pienso que los chicos _____ visitar el jardín porque las mariposas _____ en el invierno. Cuando me _____ en las noches, veo bailar a las mariposas. Pero ellas se _____ con las otras y no puedo diferenciar sus colores. Mi madre _____ la lámpara e _____ despertarme pero no puede. Yo estoy durmiendo.

Composición:

Escribir una composición en Presente. Use los verbos regulares, irregulares y de cambio radical. Mínimo diez oraciones. Ejemplo:

Soy Jenifer Ramos. Tengo dieciocho años. Vivo en Sacramento, California. Vivo con mis padres y mis dos hermanos. Ellos están en la escuela secundaria y juegan fútbol y béisbol. Son muy inteligentes. En el verano trabajo en un campamento con niños y visitamos los museos y el zoológico. Tomo clases de historia, español, ciencias y matemáticas. Estudio mucho porque quiero ser veterinaria y estudiar los gorilas. Me gusta la música y tengo muchos amigos en Facebook (red social).

e. Verbos en tiempo Pretérito

1. Lea *El nacimiento de las mariposas* (capítulo I) y subraye los verbos regulares e irregulares en Pretérito (**AR-ER-IR**).

Para conjugar los verbos terminados en -**AR** (cantar) se elimina –**AR** de la raíz y se añaden las terminaciones: -é, -aste, -ó, -amos, -asteis, -aron de acuerdo con el pronombre. Para conjugar los verbos terminados en -**ER**/-**IR** (comer/vivir) se añaden las terminaciones: -í, -iste, -ió, -imos, isteis, ieron de acuerdo con el pronombre.

Pretérito de verbos regulares

	AR	ER	IR
	Hablar	**Comer**	**Vivir**
Yo	habl**é**	com**í**	viv**í**
Tú	habl**aste**	com**iste**	viv**iste**
Él	habl**ó**	com**ió**	viv**ió**
Ella	habl**ó**	com**ió**	viv**ió**
Usted	habl**ó**	com**ió**	viv**ió**
Nosotros/as	habl**amos**	com**imos**	viv**imos**
Vosotros/as	habl**asteis**	com**isteis**	viv**isteis**
Ellos/as/Ustedes	habl**aron**	com**ieron**	viv**ieron**

Expresiones comunes que indican tiempo pasado

- Anoche
- Ayer
- Anteayer
- La semana pasada
- El mes pasado
- El semestre pasado
- El año pasado
- El invierno pasado
- La primavera pasada
- El verano pasado
- El otoño pasado

Ejemplos: (subrayar el verbo en Pretérito y traducir)

1. Ayer yo visité a mi abuelita.

   _____

2. Anoche Eda estudió para el examen de español.

   _____

3. La semana pasada escribí el informe.

   _____

4. El mes pasado Marcia compró el teléfono.

   _____

5. El semestre pasado estudiamos la célula.

_____

6. Esquié en la Montaña del Oso el invierno pasado.

_____

7. ¿Quién vendió el carro la primavera pasada?

_____

8. García Márquez publicó una novela en el verano.

_____

9. Comí pavo y mucho lechón en Acción de Gracias.

_____

10. Angela trabajó en un campamento de verano.

_____

Algunos verbos irregulares en Pretérito

	Ser/Ir	Estar	Tener
Yo	fui	estuve	tuve
Tú	fuiste	estuviste	tuviste
Él	fue	estuvo	tuvo
Ella	fue	estuvo	tuvo
Usted	fue	estuvo	tuvo
Nosotros/as	fuimos	estuvimos	tuvimos
Vosotros/as	fuisteis	estuvisteis	tuvisteis
Ellos/as/Ustedes	fueron	estuvieron	tuvieron

Ejemplos: (subrayar el verbo en Pretérito y traducir)
1. El verano pasado fui a Villa María.

_____

2. Fuimos en avión a la Isla del Encanto.

_____

3. En San Juan fui en la guagua a visitar a mi tía.

_____

4. Estuvimos en las montañas.

_____

5. Tuve mucho tiempo libre.

_____

6. Tuvimos que ir al hospital porque estuve enfermo.

_____

7. Fui a un restaurante donde fui mesero.

_____

8. Estuvimos con contentos en familia.

_____

9. Tuve la oportunidad de hablar con mis primos.

_____

10. Fue un verano maravilloso.

_____

2. Escriba diez oraciones en Pretérito. Use diferentes pronombres y los verbos del ejercicio **e**.

3. Conjugue la forma correcta del verbo en Pretérito:

    a. Ayer yo _____ (conocer) el Museo Metropolitano.

    b. Ana _____ (presenciar) la obra de teatro.

    c. Los tulipanes _____ (brotar) en la primavera.

    d. ¿Quién _____ (querer) a Julieta?

    e. El bombero _____ (rescatar) a las víctimas.

    f. Juan y Alicia _____ (lograr) pasar el examen de biología.

    g. Yo no _____ (confundir) a las gemelas.

    h. ¿Quién _____ (atrapar) la mariposa blanca?

    i. Mi hermano _____ (pasear) mucho este verano.

    j. ¿Quién _____ (encontrar) mis llaves?

Composición:

Escribir una composición en Pretérito. Tema: lo que hizo el verano pasado. Use los verbos regulares, irregulares y de cambio radical. Mínimo diez oraciones. Ejemplo:

El verano pasado fui a Colombia y visité a mi familia.

Fui a Armenia, una ciudad que está al lado de las motañas andinas y producen café. Visité a mi abuela y ella preparó muchas comidas colombianas. Fui con mis primos a los pueblos y compramos regalos. Comimos arepas con queso, dulce de guayaba, helados, fresas con crema, mango con sal y muchas frutas frescas. Fuimos a pescar y a nadar en el río. Fue un viaje inolvidable.

Capítulo I

El nacimiento de las mariposas

En un país lejano, aún más lejano de lo que puedas imaginar, mucho antes que nosotros[2], cuando los humanos y los animales hablaban el mismo idioma, Sintana, el primer hombre, estornudó[3]. Fue un estornudo tan sonoro que desató tormentas, arrasó planetas, atemorizó a los Espíritus Arrugados de otras galaxias y hasta despertó a las Criaturas del Mundo de los Sueños.

---

2   a long time ago
3   sneezed

Su cuerpo vibró, de tal manera[4], que de su boca brotaron muchas mariposas blancas; de sus ojos dos azules; de una oreja, gigantescas amarillas y de la otra, enanas anaranjadas; pequeñas mariposas rojas de su nariz; de la mano derecha cinco violetas, y de la izquierda otras cinco traviesas verdes.

Todas se confundieron con el cuerpo de Sintana[5]. Él se levantó y su olor a arco iris hizo que las mariposas formaran una trenza a su alrededor.

Todo fue luz[6].

El primer hombre miró al infinito y la ondulante cinta voló al *Reino de los colores* y... así nacieron las mariposas. Pero la más brillante y alada de todas ellas, Are, no quería ir al reino de su color; ella deseaba, con todo su corazón, conocer el Universo Multicolor.

No obstante, en ese mismo instante, en cierto país[7], en cierta región, de cierta ciudad, el solitario Taya, sin perder detalle, presenció desde su pantalla el extraordinario acontecimiento: hacía varios siglos que soñaba con poseer el reino, y fue así como, en ese momento, Taya logró atrapar a todos los colores en su pantalla[8].

Durante días enteros contemplaba, mezclaba y creaba nuevas tonalidades. Sin embargo, por más que intentó no consiguió apoderarse completamente del colorido imperio ya que faltaba un puntico[9]: el brillante color blanco.

---

4   Sintana's body shook
5   The butterflies surrounded Sintana's body.
6   There was light everywhere.
7   At the same time in an unknown country
8   Now he had at last caught the colors in his computer screen.
9   He was missing a small but critical ingredient.

Capítulo I

f. **Verdadero o Falso**

Escribir V (verdadero) o F (falso) de acuerdo con la lectura del capítulo I:

1. _____ El estornudo de Sintana despertó a las Criaturas del Mundo de los Sueños.

2. _____ De la boca de Sintana brotaron mariposas rojas.

3. _____ De una oreja de Sintana brotaron enanas amarillas.

4. _____ Cuando se levantó Sintana se formó una trenza color Arco Iris alrededor de su cuerpo.

5. _____ La ondulante cinta de colores voló al *reino negro*.

6. _____ La mariposa más brillante deseaba conocer el Universo Multicolor.

7. _____ Taya no presenció el extraordinario acontecimiento.

8. _____ Taya logró atrapar a todos los colores en la pantalla.

9. _____ Taya contemplaba, mezclaba y creaba nuevas tonalidades.

10. _____ No faltaba un puntico blanco.

g. **Responda las siguientes preguntas:**

1. ¿Quiénes hablaban el mismo idioma?

2. ¿Quién estornudó?

3. ¿Qué despertó a las Criaturas del Mundo de los Sueños?

4. ¿Qué brotó de la boca de Sintana?

5. ¿Qué salió de la oreja de Sintana?

6. ¿Y de la nariz, qué brotó?

7. ¿Cuáles son los colores del arco iris?

8. ¿Quién no quiso ir *al Reino de los colores*?

9. ¿Quién era Taya?

10. ¿Qué hizo Taya?

h. Preguntas personales
Responda de acuerdo con su opinión:

1. ¿Qué diferencias hay entre los hombres y los animales?

2. ¿Cuál es su color favorito? ¿Por qué?

3. ¿Qué lugares del planeta Tierra le gustaría conocer?

i. Use la imaginación:
Dibujar, hacer un collage o recortar de una revista o un perió-dico una escena que ilustre, de acuerdo con su interpretación, *El nacimiento de las mariposas*.

Capítulo II

Antes de leer

a. Vocabulario

Busque el significado de las palabras de la columna A y escoja la definición apropiada en la columna B.

A	B
a. Cabeza	1. Vive el rey
b. Reino	2. Está en el cielo
c. Nube	3. Rápido
d. Viajar	4. Bonita
e. Ágil	5. Reptil
f. Dorado	6. Música
g. Hermosa	7. Cristal
h. Transparente	8. Color del oro
i. Escuchar	9. Encima de los hombros
j. Serpiente	10. Ir

b. Palabras similares en español e inglés

Haga una lista de palabras parecidas en los dos idiomas del capítulo II (*La serpiente*).

c. Expresiones

Estudie las siguientes oraciones:

Volvamos donde estaba antes.	Let's get back on track.
Érase que se era	Be that as it may
El bien que viniera para todos sea	May the good that comes be for everyone.
El mal para quien lo fuera a buscar	Evil for those who go looking for it
¡Cállate que te calles!	Be quiet!, Be quiet!, Sh h h!
Tan pequeño como un garbanzo	As small as a pea
Afán por vivir el mundo	A desire to experience the world

d. Uso de verbos en contexto

Imperfecto de indicativo

Para conjugar los verbos terminados en –**AR** (trabajar) se elimina –**AR** de la raíz y se añaden las terminaciones: -aba, -abas, -aba, -ábamos, -abais, -aban de acuerdo con el pronombre. Por ejemplo: Yo trabajaba todos los veranos en la playa.

Para conjugar los verbos terminados en -**ER**/-**IR** se elimina – ER/-IR de la raíz (correr/vivir) y se añaden las terminaciones: -ía, -ías, -ía, -íamos, -íais, -ían de acuerdo con el pronombre. Por ejemplo: Con frecuencia corría por la mañana. Cuando vivía en Cali jugaba fútbol.

Verbos regulares

	AR	ER	IR
	Hablar	Comer	Vivir
Yo	habl**aba**	com**ía**	viv**ía**
Tú	habl**abas**	com**ías**	viv**ías**
Él	habl**aba**	com**ía**	viv**ía**
Ella	habl**aba**	com**ía**	viv**ía**
Usted	habl**aba**	com**ía**	viv**ía**
Nosotros/as	habl**ábamos**	com**íamos**	viv**íamos**
Vosotros/as	habl**abais**	com**íais**	viv**íais**
Ellos/as/Ustedes	habl**aban**	com**ían**	viv**ían**

El Imperfecto expresa por lo general acciones repetidas, habituales o simultáneas.

Ejemplos:

Siempre tomaba el café sin azúcar.

Todos los días leía el correo electrónico.

Mientras tomaba el café leía los mensajes de texto.

Además se usa para describir en el pasado, la hora y la edad de una persona.

Ejemplos:

Simón Bolívar era un general. Él era venezolano.

Eran las tres de la tarde cuando Bolívar murió en Santa Marta, Colombia.

Bolívar tenía cuarentaisiete años cuando murió.

Las expresiones más comunes para usar el Imperfecto de indicativo son:

- A menudo
- Con frecuencia
- De costumbre
- De vez en cuando
- Generalmente
- Normalmente
- Siempre
- Todos los días

Por ejemplo:

Todos los días tocaba el piano.

Siempre leía en clase *¿Quién se robó los colores?*

Algunos verbos irregulares en Imperfecto

	Ser	Ver	Ir
Yo	era	veía	iba
Tú	eras	veías	ibas
Él	era	veía	iba
Ella	era	veía	iba
Usted	era	veía	iba
Nosotros/as	éramos	veíamos	íbamos
Vosotros/as	erais	veíais	ibais
Ellos/as/Ustedes	eran	veían	iban

Ejercicios:

1. Todos los días yo_____(ir) a jugar baloncesto.

2. Siempre yo_____(ver) a los Gigantes.

3. Cuando era pequeño_____(tener) un Labrador.

4. No me_____(gustar) comer verduras.

5. Abraham Linconln_____(ser) alto.

6. Napoleón Bonaparte_____(era) bajo.

7.   Celia Cruz_____(ser) una cantante de salsa.

8.   Ella normalmente_____(dar) dinero a los pobres.

9.   Los Beatles_____(cantar) muy bien.

10.   Mohamed Alí_____(boxear) todos los días.

Completar los espacios en blanco con la siguiente lista de verbos. Por favor conjugue los verbos en Pretérito, Imperfecto o infinitivo:

Cubrirse	Mentir
Encontrar	Moverse
Reírse	Salvar
Dormir	Escuchar
Gritar	Callarse

Ayer _____ una serpiente en el patio de mi casa y no me _____. Me _____ la cara con mis manos y _____ de horror. Nadie me podía _____ porque mientras mi papá _____ en el sofá mi madre _____ música clásica. Mis padres se _____ y, _____ porque todo era una broma. La serpiente era de plástico. Entonces yo me _____.

e.   Verbos en tiempo Pretérito e Imperfecto

1.   Lea *La serpiente* y subraye los verbos regulares e irregulares en Pretérito e Imperfecto (**-AR/-ER/-IR**).

2.   Escriba cinco oraciones en Pretérito y cinco en Imperfecto. Use la lista de verbos del ejercicio 1 de la parte **e**.

3.   Conjugue la forma correcta del verbo en Pretérito:

   a.   Las águilas _____ (volar) muy alto.

   b.   El oso _____ (dormir) todo el invierno.

   c.   ¿Cuándo te _____ (despertar)?

   d.   Los ladrones se _____ (robar) el diamante.

   e.   Tú y yo _____ (escuchar) salsa.

f. El capitán _____ (gritar) a los marineros.

g. La astronauta se _____ (cubrir) la cara con la máscara.

h. Nosotros no _____ (vivir) en Bogotá.

i. ¿Quién _____ (mentir): el lobo o Caperucita?

j. Yo no _____ (contemplar) las estatuas feas.

Composición:

Escribir una composición en Imperfecto. Use los verbos regulares, irregulares y de cambio radical. Mínimo diez oraciones. Ejemplo:

Cuando tenía quince años vivía en Sacramento, California. Vivía con mis padres y mis dos hermanos. Ellos estaban en la escuela secundaria y jugaban al fútbol y al béisbol. Eran muy buenos deportistas. En el verano trabajaba en un campamento con niños y visitamos los museos y el zoológico. En el colegio estudiaba historia, español, ciencias, matemáticas y música. Estudiaba mucho porque yo era parte de la banda, tocaba el saxofón y la flauta. Me gustaba la música de Lady Gaga y tenía muchos amigos en Facebook (red social).

Capítulo II

La serpiente

Volvamos donde estaba Are. Ella voló, voló y siguió volando. En su viaje, en lugar de encontrar[10] el infinito mundo Blanco, Azul, Amarillo, Anaranjado, Rojo, Violeta y Verde, halló una nube negra; los colores habían desaparecido. La mariposa creyó que debería dormir, pues todo era oscuridad[11]. Cuando despertó todo seguía igual, excepto una voz dorada que cantando le decía[12]:

---

10   instead of finding
11   It was best to sleep in the midst of such darkness.
12   golden voice which chanted to her

Érase que se era

el bien que viniera

para todo sea,

y el mal para quien lo fuera a buscar...

¿Quién eres? —preguntó Are atolondrada[13].

¡Cállate que te calles[14]!

Érase que se era,

el *Reino de los colores*.

El bien que viniera para todos sea.

Un hombre solitario robó todo lo hermoso que era[15].

Contestó la voz.

— Oiga, mi nombre es Are; acérquese porque no la puedo escuchar muy bien. Únicamente quiero pasear por el *Reino de los colores*.

Entonces de la bruma surgió la cabeza monumental de una serpiente. Tenía un ojo transparente que contrastaba con su piel oscura[16]; una lengua pepeada[17], que se movía tan rápidamente que no se le veía y un lunar verde, que se agrandaba cuando se reía[18].

Con su canto continuó:

Érase que se era,

y si tú estás aquí

es para salvar todo lo que viniera.

---

13   afraid
14   Be quiet!
15   A lonely man stole the colors.
16   She had a single transparent eye that contrasted with the color of her skin.
17   spotted tongue
18   that got bigger when she laughed

— ¿Qué debo hacer? —gritó la asombrada mariposa[19].

Harás, Are, un viaje,

porque eres la que era.

Cruzarás selvas, llanuras, pantanos,

mares, desiertos y montañas

para rescatar a todos los colores,

atrapados en la esfera estelar,

que al astuto Taya le encanta contemplar[20],

y el mal, para quien lo fuera a buscar.

—Pero sin luz no puedo encontrar a Taya, Señora Serpiente, a usted apenas la puedo ver[21]

—dijo tímidamente Are.

¡Cállate que te calles!

Esta piedra amarilla

hará luz cuando calles

y muchos amigos

encontrarás cuando desfalles...[22]

—Musitó el reptil.

...Y de su canto dorado brotó una amatista del tamaño de un garbanzo.[23].

Cuando desaparezca

---

19   shouted the startled butterfly
20   that the clever Taya enjoyed contemplating
21   I can hardly see you.
22   you will find when you can't go on anymore
23   the size of a pea

te convertirás en otro ser.

Érase que se era,

la única forma de sobrevivir

es mentir,

ya que si dices quien eres

no vas a poder seguir[24].

La serpiente se esfumó[25]. Se escuchó el último "Érase que se era…" y Are era una niña. Sus piernas, dedos y cuello eran largos, suaves, ágiles y de movimientos incontrolables. Su cabello lacio cubría la curiosa mirada de la niña; llevaba una túnica blanca, y afán por vivir el mundo[26].

---

24   you aren't going to be able to go on
25   The snake disappeared.
26   wanted to explore the world

Capítulo II

f. Verdadero o Falso

Escribir V (verdadero) o F (falso) de acuerdo con la lectura del capítulo II:

1. _____ Are voló y encontró el *Reino de los colores*.

2. _____ Are halló una nube verde.

3. _____ Un hombre solitario robó todos los colores.

4. _____ Are pudo escuchar bien a la serpiente.

5. _____ La serpiente tenía dos ojos rojos.

6. _____ El lunar de la serpiente era amarillo.

7. _____ La serpiente le dio una misión a Are.

8. _____ La serpiente le dio una amatista a Are para viajar.

9. _____ La amatista era del tamaño de un fríjol.

10. _____ La mariposa se convirtió en una niña.

g. Responda las siguientes preguntas:

1. ¿Qué encontró Are en su viaje?

2. ¿Qué quería hacer Are?

3. ¿Cómo era la serpiente?

4. ¿Cuántos ojos tenía la serpiente?

5. ¿De qué color era el lunar de la serpiente?

6. ¿Por dónde viajaría Are?

7. ¿Qué era la piedra amarilla?

8. ¿De qué tamaño era la amatista?

9. ¿En qué se transformó Are?

10. Describa el cuerpo de Are.

h. Preguntas personales
Responda de acuerdo con su opinión:

1. ¿Qué animales le producen terror?

2. ¿Cuál es su piedra favorita?

3. Describa su cara y cuerpo.

i. Use la imaginación:
Dibujar, hacer un collage o recortar de una revista o un periódico una escena que ilustre, de acuerdo con su interpretación, *La serpiente*.

Capítulo III

a. Vocabulario

Busque el significado de las palabras de la columna A y escoja la definición apropiada en la columna B.

A	B
a. Verde	1. Para dormir
b. Colchón	2. En la piel
c. Delfín	3. Del árbol
d. Gusano	4. Contrario a frío
e. Hoja	5. Angustiado
f. Lunar	6. Suave
g. Alegre	7. Contento
h. Caliente	8. Tiene muchas patas
i. Blando	9. Color
j. Desesperado	10. Mamífero inteligente

b. Palabras similares en español e inglés

Haga una lista de palabras parecidas en los dos idiomas del capítulo III (*El reino verde*).

c. Expresiones

Estudie las siguientes oraciones:

Dejar el rastro	To leave a trace
Manada de ovejas	A flock of sheep
Más grande que un elefante	Bigger than an elephant
Blanda como un colchón de agua	As soft as a water bed
Con lágrimas de felicidad	With tears of joy
Imitar a los mayores	To imitate one's elders
Gritos desesperados	Desperate cries

d. Uso de verbos en contexto

Completar los espacios en blanco con la siguiente lista de verbos. Use Imperfecto y Pretérito:

Cantar
Celebrar
Chupar
Dejar
Despedir
Esperar
Girar
Jugar
Rogar
Tropezar

Mientras mi madre _____ mi cumpleaños, mi hermano _____ la "cucaracha". Yo _____ un helado de vainilla mientras mis amigos _____ baloncesto en la cancha, pero de repente Alberto _____ mal en su pie, _____ y se fracturó su tobillo. Yo _____ para que mi fiesta continuara. Entonces mis amigos _____ la pelota en el garaje y se _____. Cada año _____ con alegría a que llegara mi cumpleaños pero sin el juego de baloncesto.

e. Gerundio

Presente

Para los verbos terminados en **-AR** se forma de la siguiente manera:

ESTAR (Presente)+VERBO+**ANDO**. Por ejemplo:

Empezar (se suprime **-AR** y se agrega la terminación ANDO). – Empezando
Yo estoy empezando el año escolar.

Para los verbos terminados en **-ER-IR** se forma de la siguiente manera:

ESTAR+VERBO+**IENDO**. Por ejemplo:

Comer–Comiendo/Vivir–Viviendo

Felipe está comiendo en la cafetería.

Ella y Juan están viviendo en Alaska.

Algunos gerundios irregulares son:

Creer	Creyendo
Dormir	Durmiendo
Ir	Yendo
Leer	Leyendo
Pedir	Pidiendo
Morir	Muriendo
Oír	Oyendo
Traer	Trayendo

Ejercicios:

1. Yo_____(leer) un poema de Sor Juana.

2. Los niños_____(dormir) en la sala.

3. En este momento yo_____(ir) a la tienda .

4. La flor se_____(morir) por el calor.

5. Tú_____(traer) la comida del restaurante.

6. Yo no_____(pedir) nada.

7. ¿Usted_____(oír) el teléfono?

8. Ella_____(leer) *The New York Times.*

1. Lea *El reino verde* y subraye los verbos regulares conjugados en gerundio (Presente).

2. Escriba diez oraciones en gerundio (Presente). Use la lista de verbos del ejercicio 1 de la parte **e**.

3. Conjugue la forma correcta del verbo en gerundio:

a. Nosotros estamos _____ (jugar) con los perros.

b. Las abejas están _____ (chupar) el néctar de. las flores.

c. Yo estoy _____ (divisar) el mar.

d. ¿A quién estás _____ (esperar) en el hotel?

e. Susana está _____ (llevar) los anillos de los novios.

f. ¿Por qué tú estás _____ (bailar) sola?

g. No estamos _____ (cantar) con los mariachis.

h. Estamos _____ (celebrar) el 4 de julio.

i. ¿Con quién estás _____ (regresar)?

j. Yo estoy _____ (sacar) la piedra del agua.

Capítulo III

El reino verde

La infante empezó a seguir el rastro[27] que dejó el sudor del lunar verde de la serpiente. Ella encontró en su camino narcisos silvestres[28], los chupó y a lo lejos divisó el río más grande del mundo. Allá jugaba un banco de delfines rosados[29] y uno de ellos le dijo:

—Tú debes ser Are. Vicky te está esperando bajo ese árbol de caucho.

27   Are began to follow traces of the snake
28   wild narcissus flowers
29   A school of pink dolphins

Ella giró y tropezó con una hoja más grande que un elefante y tan blanda como un colchón[30].

—¡Hey!, mi nombre es Vicky Regia. Ya sé adónde tengo que llevarte, súbete.

La niña, de un brinco, se sentó sobre la hoja[31] y los delfines despidieron a sus dos amigas con lágrimas rosadas de felicidad[32].

Vicky la llevó al *reino verde*. Are bailaba de alegría al compás de tambores, que se escuchaban a lo lejos.

—Yo quiero ir a esa fiesta —dijo la pequeña cantando.

—Pero tenemos prisa y el agua cada vez está más fría

—replicó la hoja.

—Sólo deseo bailar.

—Bueno, pero recuerda que no puedes decir quién eres.

Are siguió el sonido de los instrumentos y halló a un grupo de niños, con máscaras y vestidos con cortezas de árbol[33], quienes danzaban imitando a sus mayores. Únicamente un niño, Puy, la vio y le ofreció casabe, carne de monte y de postre un gusanito mojojoy[34].

—Gracias, prefiero el néctar de las flores. ¿Qué están celebrando?

—Estamos rogándole a nuestro dios Verde que no se opaque el color del Reino.

Entonces la pequeña recordó su misión y regresó corriendo donde estaba su compañera. Allí sacó la piedra amarilla con prisa[35],

---

30   As soft as a mattress
31   Are jumped and landed right on the leaf
32   The dolphins held back their pink tears of joy as they said goodbye to their friends.
33   A group of children wearing masks and dressed in tree bark
34   Worm pie
35   She quickly took out the yellow stone.

y apretándola en sus manos deseó que su amiga Vicky volara.

Desde las alturas se escuchaban los gritos desesperados de la hoja, pues sufría de vértigo[36]. Así fue como dejaron a Puy y a su familia. Al mismo tiempo que abandonaban el Reino, en donde todo había sido verde, penetraron en el *reino anaranjado*.

---

36   She suffered from vertigo.

Capítulo III

f.   Verdadero o Falso

Escribir V (verdadero) o F (falso) de acuerdo con la lectura del capítulo III:

1. _____ Are encontró flores en el camino.

2. _____ La niña vio el río más pequeño del mundo.

3. _____ Los delfines eran amarillos.

4. _____ Vicky era enemiga de Are.

5. _____ Vicky era una hoja más grande que un elefante.

6. _____ Are bailaba de alegría al compás de una guitarra.

7. _____ La niña y la hoja fueron al baile.

8. _____ Puy le ofreció bananos a Are.

9. _____ A la niña le gustaba el néctar de las flores.

10. _____ La hoja sufría de vértigo.

g.   Responda las siguientes preguntas:

1. ¿Qué tipo de flores encontró Are en el camino?

2. ¿Qué divisó Are a lo lejos?

3. ¿Que había en el río?

4. ¿Qué es un árbol de caucho?

5. ¿Quién es Vicky Regia?

6. ¿Por qué bailaba Are?

7. ¿Por qué no puede decir Are quién es?

8. ¿Cómo estaban vestidos los niños del *reino verde*?

9. ¿Qué le ofreció Puy de comida a Are?

10. ¿Qué estaban celebrando en el *reino verde*?

h. Preguntas personales

Responda de acuerdo con su opinión:

1. ¿Qué hace usted si está solo/a en una selva y no tiene comida ni agua?

2. ¿Cuál es su planta, flor o árbol favorito/s?

3. ¿Qué fiestas celebra con su familia?

i. Use la imaginación:

Dibujar, hacer un collage o recortar de una revista o un periódico una escena que ilustre, de acuerdo con su interpretación, *El reino verde*.

Capítulo IV

Antes de leer

a. Vocabulario

Busque el vocabulario de las palabras de la columna A y escoja la definición apropiada en la columna B.

A	B
a. Caballo	1. Padre de mi padre
b. Relinchar	2. Saltar
c. Enlazar	3. Tirar el lazo
d. Descolorido	4. Lo contrario de Oriente
e. Abuelo	5. Fruta
f. Occidente	6. Autoridad
g. Naranja	7. Héroe
h. Habitante	8. Animal
i. Rey	9. Ciudadano
j. Valiente	10. Sin color

b. Palabras similares en español e inglés

Haga una lista de palabras parecidas en los dos idiomas del capítulo IV (*El reino anaranjado*).

c. Expresiones

Estudie las siguientes oraciones:

Llanura interminable	A never ending plain
Cara descolorida	A very pale face
Más allá de las montañas	Beyond the mountains
Mirar curiosamente	To look with curiosity
Somos los últimos habitantes	We are the last inhabitants
¡Qué más quisiera yo!	How I wish I could!
Naranjos tan altos como el sol	Orange trees as tall as the sun

d. Verbos en Pretérito

Subraye los verbos regulares e irregulares en Pretérito.

e. Uso de verbos en contexto

1. Completar los espacios en blanco con la siguiente lista de verbos. Use Presente o Pretérito.

Acercarse

Agregar

Contar

Enlazar

Ir

Marchar

Relinchar

Querer

Saber

Ser

Mi abuelo tiene un establo con diez caballos. El les da agua y les _____ un poco de sal. Entonces ellos se_____ muy contentos. Durante las vacaciones _____ a su rancho. El año pasado él me _____ que _____ varios potros en la llanura. Yo _____ pero no pude. Los animales _____ y corren cuando me_____. No _____ de caballos. Mi abuelo _____ muy valiente.

2. Escriba diez oraciones en Presente. Use la lista de verbos del ejercicio 1 de la parte **e**.

3. Conjugue la forma correcta del verbo en Presente:

   a. Yo no _____ (enlazar) las vacas.

   b. No me gusta cuando mi caballo _____ (relinchar).

   c. Los niños no se _____ (acercarse) a los leones del zoológico.

   d. Ramón _____ (contar) chistes pesados.

e. El general se _____ (marcharse) con sus tropas.

f. Ustedes _____ (ser) los últimos de la cola.

g. ¿Quién de ustedes _____ (saber) montar a caballo?

h. Ella _____ (querer) una naranjada, por favor.

i. ¿Por qué me _____ (interrogar) usted?

j. ¿Dónde _____ (quedar) el restaurante?

f. **Acentuación:**

Monosílabos

Con tilde	Sin tilde
Tú (pronombre)	Tu (adjetivo posesivo)
Él (pronombre)	El (artículo)
Mí (pronombre personal)	Mi (adjetivo posesivo)
Sí (afirmativo, adverbio)	Si (conjunción)
Sé (verbo, ser o saber)	Se (pronombre)
Dé (verbo, dar)	De (preposición)
Té (bebida)	Te (pronombre)
Más (adverbio de cantidad)	Mas (conjunción)

Ejemplos:

Tú fuiste a Brooklyn   Esa es tu casa.
Él fue al MOMA.   El caballo es negro.
A **mí** me gusta la música.   Mi casa es tu casa.
Sí, hablé con él.   Si estudio paso la clase.
Dé agua al perro.   Él es el abuelo del niño.
El **té** está muy caliente   Te quiero mucho.
No quiero **más** tacos.   Mas no regreses jamás.

Ejercicios:

1. _____ (Tú/Tu) compraste una tortuga.

2. _____ (Tú/Tu) tortuga come mucho.

3. _____ (Él/El) salió a las 3:00 p.m.

4. _____ (Él/El) computador no funciona.

5. _____(Té/Te) pienso mucho.

6. _____(Té/Te) escribí un mensaje de texto.

7. _____(Dé/De) dinero a los pobres.

8. _____(Dé/De) la casa al parque son dos horas.

9. _____(Más/Mas) no compres más ropa.

10. _____(Mí/Mi) libro es muy chévere.

Escriba la tilde:

Yo se que tu madre quiere que yo le de el dinero de Pablo a Rodrigo, pero no se si el me va a autorizar. Estoy en la oficina ahora y cuando termine te voy a llamar. Tambien voy a llamar a Pablo para saber si el dice que si porque el es muy honesto. Tu sabes muy bien como es tu madre. Por favor no le digas a tu madre que voy a llamar a Pablo. Mas si tu le dices, ella se va a poner nerviosa. Rodrigo siempre quiere mas dinero para gastar en la discoteca. Si quieres nos tomamos un te para que no te enojes. Para mi es un honor que vengas a mi casa.

Reglas generales para la acentuación escrita

Agudas	Graves/Llanas	Esdrújulas	Sobreesdrújulas
Llevan acento escrito todas las palabras en la última sílaba que terminan en **n,s** o **vocal**	Llevan acento escrito en la penúltima y que **NO** terminen en n,s o vocal	Todas llevan acento escrito en la antepenúltima sílaba	Todas llevan acento escrito en la tras antepenúltima sílaba
canción	árbol	México	cómpreselo
mamá	cárcel	romántico	lléveselo
adiós	azúcar	gramática	acércamelo

Ejercicios:

Agudas	Graves	Esdrújulas	Sobreesdrújulas
hablo	lapiz	lagrima	escribaselo
trabajo	angel	Romulo	digamelo
miro	facil	mascara	hagamelo
papa	dificil	vertigo	imagineselo
bebe	martir	callate	paguemelo
mansion	Tunez	tunica	tengamelo
corazon	cesped	ultimo	expliqueselo
interes	debil	complice	comuniqueselo
cafe	fragil	humedo	entregaselo
ingles	fertil	imagenes	corrijaselo

Escriba las tildes:

El año pasado fui a Florida. Visite a mi familia en Miami y vi a mis parientes. Fui a las playas y conoci nuevos lugares: el acuario y el zoologico. Vi las ballenas y un manati muy hermoso. En el zoologico hay unos pajaros muy exoticos de Asia, Africa y las Americas. Vi los loros, las guacamayas, los tucanes y aguilas. Los loros montaron en bicicleta. Fue un gran espectaculo. Luego estuvimos en San Agustin, una de las ciudades mas antiguas de Estados Unidos. Los españoles llegaron alli en el siglo XVI. La fundo Pedro Menendez Avilez en 1565. En San Agustin hay muchos monumentos historicos y varias iglesias catolicas. Fue un viaje de gran interes porque vi a mis familiares, conoci nuevos sitios y aprendi mucho de la historia y geografia.

Capítulo IV

El reino anaranjado

Unos caballos relinchaban en una llanura interminable[37] y Rómulo jugaba a enlazar a un pequeño potro descolorido. Are se acercó y lo interrogó:

—¿Por dónde se va al *reino violeta*?

—Yo no sé, pero mi abuelo me contó que por el Occidente, más allá de esas montañas[38], queda ese país. ¿Me llevas con toda

---

37 Some horses were galloping through a never ending plain.
38 That country is beyond those mountains.

mi familia? —agregó Rómulo.

Are lo miró curiosamente.

—Nos queremos ir, porque las naranjas perdieron su color[39]. Somos los últimos habitantes de este reino; ya se marchó hasta el rey.

—¡Qué más quisiera yo![40], sé que eres valiente. Recuérdame cuando los naranjos estén tan altos como el sol[41]. Adiós.

—Hasta luego niña —dijo Rómulo desconsolado.

---

39 The oranges have lost their color.
40 I wish I could!
41 Remember me when the orange trees are as tall as the sun.

Capítulo IV

Después de leer

g. Verdadero o Falso

Escribir V (verdadero) o F (Falso) de acuerdo con la lectura del capítulo IV:

1. _____ Unos caballos relinchaban en una montaña.

2. _____ Rómulo jugaba con un potro descolorido.

3. _____ Are quería saber cómo se iba al *reino rojo*.

4. _____ *El reino violeta* estaba más allá de las montañas.

5. _____ Rómulo quería viajar con su familia.

6. _____ Las naranjas eran muy anaranjadas.

7. _____ El rey se quedó en el reino.

8. _____ Are no pudo llevar a Rómulo y a su familia.

9. _____ Rómulo estaba alegre.

10. _____ Are viajó al *reino violeta*.

h. Responda las siguientes preguntas:

1. ¿Dónde relinchaban los caballos?

2. ¿A qué jugaba Rómulo?

3. ¿Por dónde se va al *reino violeta*?

4. ¿Qué le contó el abuelo a Rómulo?

5. ¿Por qué Rómulo deseaba irse con su familia?

6. ¿De qué color eran las naranjas?

7. ¿Quiénes eran los últimos habitantes del *reino anaranjado*?

8. ¿Por qué se marchó el rey?

9. ¿Era Rómulo un chico valiente? ¿Por qué?

10. ¿Cuál era el próximo reino?

i. Preguntas personales
Responda de acuerdo con su opinión:

1. Describa su fruta favorita.

2. ¿Cómo se llaman sus abuelos?

3. ¿Cuántas personas hay en su familia?

j. Use la imaginación:
Dibujar, hacer un collage o recortar de una revista o un periódico una escena que ilustre, de acuerdo con su interpretación, *El reino anaranjado.*

Capítulo V

a. Vocabulario

Busque el significado de las palabras de la columna A y escoja la definición más apropiada en la columna B.

A		B	
a.	Llover	1.	Tiene frutos y hojas
b.	Árbol	2.	Contrario de seco
c.	Viento	3.	Para regar las plantas
d.	Húmedo	4.	Están en la cabeza
e.	Piel	5.	Ruido fuerte
f.	Granizo	6.	Parte exterior del cuerpo
g.	Regadera	7.	Están en la boca
h.	Piojos	8.	Soplar
i.	Estruendo	9.	Granos de hielo
j.	Colmillos	10.	Gotas de agua

b. Palabras similares en español e inglés

Haga una lista de palabras parecidas en los dos idiomas del capítulo V (*El reino violeta*).

c. Expresiones

Estudie las siguientes oraciones:

El viento no paraba de soplar	The wind did not stop blowing
Fango húmedo	Wet mud
Reír burlonamente	To laugh at, to make fun of
Sacar piojos	To remove lice
Formar un coro estruendoso	To make a loud chorus
El amo de los computadores	The computer master
Poder maléfico	Evil power
Marcharse feliz con la pesca	To delight in one's victory
Soltar una carcajada	To burst out laughing

d. Verbos pronominales

Subraye los verbos reflexivos del capítulo V.

Los verbos reflexivos se forman agregando SE al final del verbo en infinitivo. Por ejemplo: cepillarse

Ana se cepilla los dientes por la mañana.

Joaquín se lava las manos antes de comer.

Yo me miro al espejo.

Lista de verbos reflexivos usados con más frecuencia. Entre paréntesis se indica el cambio radical en la conjugación:

Acostarse	to go to bed
Afeitarse	to shave
Cepillarse (el pelo,los dientes)	to brush (one's hair, teeth)
Darse prisa	to hurry up
Desayunarse	to eat breakfast
Despertarse (ie)	to wake up
Divertirse (ie,i)	to have a good time
Dormirse (ue,u)	to fall asleep
Ducharse	to take a shower
Lavarse (las manos, el pelo los dientes)	to wash (one's hands, hair, to brush one's teeth)
Maquillarse	to put on makeup
Peinarse	to comb one's hair
Ponerse	to put on (clothing, shoes, jewelry)
Quedarse	to stay, to remain
Sentarse (ie)	to sit down
Vestirse (i,i)	to get dressed

Los verbos pronominales se conjugan con los pronombres reflexivos:

Presente	Pretérito	Imperfecto
Cepillarse		
Yo me cepillo	me cepillé	me cepillaba

Tú te cepillas	te cepillaste	te cepillabas
Él-Ella-Usted se cepilla	se cepilló	se cepillaba
Nosotros/as nos cepillamos	nos cepillamos	nos cepillábamos
Vosotros/as os cepilláis	os cepillasteis	os cepillabais
Ellos/as-Ustedes se cepillan	se cepillaron	se cepillaban

Ejercicios:

1. Yo _____(levantarse) muy temprano y tomo café.

2. Alejandro siempre_____(afeitarse) antes de salir los fines de semana.

3. Normalmente el payaso_____(maquillarse).

4. Ayer, yo_____(despertarse) muy tarde.

5. Silvia no_____(peinarse) con frecuencia.

6. La semana pasada yo_____(dormirse) en la clase.

7. Cuando iba a Puebla_____(divertirse) mucho.

8. El año pasado él_____(quedarse) en la casa de la madrina.

9. Los conquistadores no se_____(bañarse) mucho.

10. En la playa yo_____(acostarse) y tomo el sol.

e. Uso de verbos en contexto

1. Completar los espacios en blanco con la siguiente lista de verbos. Use Pretérito, Imperfecto o verbos pronominales:

Marcharse

Partir

Llover

Soplar

Avisar

Aterrizar

Esconderse

Arrancarse

Recoger

Escurrirse

Mientras en las montañas _____ en el desierto hacía sol. Los rayos _____ los techos de las casas y yo corría como un loco. Anoche el avión no _____ porque el viento _____ hasta las seis de la mañana. Yo me _____ los pantalones y la camisa. Mi perro se _____ debajo de la cama al escuchar la tormenta. Yo les _____ a los bomberos pero nadie vino. Mis vecinos se _____ una semana antes de la lluvia y yo no _____ las piedras que ellos depositaron en la calle. No pude contener mi rabia y me _____ el pelo.

2. Escriba diez oraciones con TENER + QUE + INFINITIVO. (Tengo que cantar). Use la lista de verbos del ejercicio 1 de la parte **e**.

3. Conjugue la forma correcta del verbo pronominal en Pretérito:

a. Darío ____ _____ (escurrirse) el pelo en la ducha.

b. Juan ____ _____ (reírse) de mí ayer.

c. Nosotros ____ _____ (esconderse) debajo del agua.

d. Usted y María ____ _____ (marcharse) muy tarde.

e. Ella ____ _____ (estirarse) la falda.

f. El dentista ____ _____ (arrancarse) dos dientes.

g. Ellos ____ _____ (burlarse) del gato.

h. Tú y Ester____ _____(lamentarse) por el accidente.

i. El peluquero____ _____ (hacerse) un corte de cabello.

j. ¿Por qué ____ _____ (mojarse) usted la cara?

Capítulo V

El reino violeta

La niña y la hoja viajaron más allá de las montañas. En aquel lugar llovía constantemente, los rayos partían árboles y el viento no cesaba de soplar[42]. Ellas aterrizaron en el fango húmedo de la región.

Al mismo tiempo que Vicky se lamentaba por las perforaciones en su piel, causadas por el granizo, la infante, quien parecía una regadera[43] porque le salía agua de todo su cuerpo, la consolaba escurriéndola con cuidado. Dos muchachitas al ver tal escena se rieron.

---

42   The wind never stopped blowing.
43   Are, who looked like a sprinkler

—No se burlen de mí, ¿por qué no me ayudan? —dijo Are—. ¿Y ustedes, qué están haciendo?

—Mi hermanita me está sacando los piojos[44] —contestó la niña de color violeta.

Are y Vicky soltaron una carcajada aún mayor[45]...

—No se burlen de mí —gritó la muchachita de los piojos.

Pero la pequeña continuó riendo y después de un segundo las dos hermanitas formaron un coro estruendoso de risas con Are y Vicky Regia. De esta manera todas ellas se hicieron amigas.

De igual manera Taya, el amo de los computadores, seguía desde el Salón de las Imágenes el vuelo de Are. Él estaba esperando ansiosamente que ella pisara el reino

Violeta[46], ya que en aquel lugar tenía un aliado: Jaibaná, quien podía verla gracias a sus poderes maléficos.

Jaibaná sintió la tibia presencia[47] y las encontró buscando monedas en el agua, junto con sus dos amigas, las muchachitas de color violeta. La piojosa[48], llamada Violeta del Mar, advirtió la llegada del hombre y apresuradamente le avisó a Are sobre el peligro. La niña se escondió en una inmensa ostra, pero Jaibaná la atrapó y se marchó feliz con su pesca[49].

Las dos cómplices de Are despertaron a Vicky, quien tomaba el sol. Le narraron lo sucedido. Entonces la hoja más grande que un elefante voló a rescatarla y la encontró momificada en su propio cabello[50]. Jaibaná excitadamente cantaba:

---

44   My sister is removing my lice.
45   They had a good chuckle over this.
46   He was impatiently awaiting Are's arrival to the Violet Kingdom.
47   Jaibaná detected a lukewarm presence.
48   the lice-infected girl
49   caught her and delighted in his victory
50   Are had been mummified in her own hair.

Tendré que esperar

esperar no mucho.

De un huevo salió una larva,

de una larva una oruga,

de una oruga una ninfa[51]...

Tendré que esperar

esperar no mucho.

Capullo de seda

blanca mariposa me concedas[52].

Are, era ya casi una mariposa cuando la temerosa Vicky, aprovechando la distracción del brujo, estiró temblorosamente su tallo desde la ventana para recoger la piedra amarilla de Are. La amatista estaba a pocos centímetros de la niña. Luego la hoja la depositó en los labios de Are.

De repente, Are deseó ser libre y su cabello desató una tormenta que destrozó la madera, los menjurjes y las palmas que cubrían el tambo[53]. Jaibaná voló por los aires y nunca nadie supo más de él.

Taya, de la rabia, se arrancó sus prolongados colmillos[54] y gritó desde el Salón de las Imágenes:

—Jamás pensé que una hoja estúpida pudiera entorpecer mi plan para agarrar a Are. ¡Me las pagarán ingenuas babosas, ya verán[55]!

---

51   From an egg, a caterpillar is hatched, who soon leaves as in a race to make room for the butterfly's place.
52   You are going to become a white butterfly.
53   Suddenly, Are wanted to break away, so she had her hair set off a storm that destroyed wood, potions and palm trees that had covered the hut.
54   Taya tore out his own long fangs.
55   Are and the leaf will pay dearly for this.

Capítulo V

f. Verdadero o Falso

Escriba V (verdadero) o F (falso) de acuerdo con la lectura del capítulo V. Explique en una frase por qué es falso:

1. _____ En el *reino violeta* no llovía.

2. _____ Are y Vicky aterrizaron en el desierto.

3. _____ La hoja tenía perforada la piel por el granizo.

4. _____ Are pidió ayuda a las hermanitas.

5. _____ Una niña peinaba a su hermana.

6. _____ Jaibaná era enemigo de Taya.

7. _____ Are estaba buscando perlas en el mar.

8. _____ Are se escondió en un barco.

9. _____ Are quedó momificada en su propio cabello.

10. _____Vicky puso la amatista en la mano de Are.

g. Responda las siguientes preguntas:

1. ¿Dónde estaba el *reino violeta*?

2. ¿Cómo era el reino?

3. ¿ Qué le paso a Vicky cuando llegaron al reino?

4. ¿Quiénes eran las piojosas?

5. ¿Quién era Jaibaná?

6. ¿Qué le pasó a Are después que Jaibaná la atrapó?

7. ¿Quién ayudó a Are a liberarse de Jaibaná?

8. ¿Cómo murió Jaibaná?

9. ¿Por qué Taya se enfureció?

10. ¿Qué le hará Taya a Are y a la hoja?

h. Preguntas personales

Responda de acuerdo con su opinión:

1. ¿Cómo conoció a su mejor amigo/a?

2. Si su amigo tiene un problema, ¿cómo lo ayudaría?

3. ¿Qué pasará en el próximo reino?

i. Use la imaginación:

Dibujar, hacer un collage o recortar de una revista o un periódico una escena que ilustre, de acuerdo con su interpretación, *El reino violeta*.

j. Escriba las tildes:

1- Volo	6- Parecia
2- Alla	7- Escurriendola
3- Partian	8- Rian
4- Arboles	9- Despues
5- Region	10- Maleficos

Capítulo VI

Antes de leer

a. Vocabulario

Busque el significado de las palabras de la columna A y escoja la definición más apropiada en la columna B.

A	B
a. Rey	1. Contrario de muerte
b. Amanecer	2. Soldado
c. Preocupación	3. Pocas casas
d. Vida	4. Contrario de anochecer
e. Sangre	5. Líquido que circula por el cuerpo
f. Trampa	6. Para el frío
g. Guerrero	7. Para atrapar animales
h. Aldea	8. Pensativo
i. Sombra	9. Emperador
j. Manta	10. La sombrilla sirve para dar eso.

b. Palabras similares en español e inglés.

Haga una lista de palabras parecidas en los dos idiomas del capítulo VI (*El reino azul*).

c. Expresiones

Estudie las siguientes oraciones:

Dar la bienvenida	To welcome
Se nota gran preocupación	To be visibly worried about
Probar la sustancia prohibida	To taste the forbidden fruit
Masticar hasta saciarse	Chew to one's heart's content
La presa cae en su trampa	The victim fell into her own trap
No beberás ni una gota de agua	You will not drink even a single drop of water
Semiseca y carcomida	Dried out and lifeless
Contestar al unísono	Answered in unison

d. Complementos directos e indirectos

Subraye los complementos directos (lo/s, la/s) e indirectos (le/les) en la lectura del *reino azul*.

Complementos directos		Complementos indirectos	
me	nos	me	nos
te	os	te	os
lo	los	le	les
la	las		

Lo (neutro)/la: en muchas regiones de Hispanoamérica se usa lo y la para referirse a personas. **Lo** como pronombre neutro puede sustituír a una preposición, adjetivo o cláusula subordinada.

Por ejemplo: García Márquez es un buen escritor. Él **lo** es.

Isabel Allende es novelista. Ella **lo** es.

Le/les: se usa en algunas regiones de España para referirse a personas.

Por ejemplo: Ella **le** compra una camisa azul.

Él **le** vende una gata a Ester.

Los pronombres directos e indirectos se ponen antes del verbo conjugado:

Llevo libros. **Los** llevo. **Les** vendo mi guitarra.

Cuando hay un complemento directo e indirecto en la misma oración, el complemento indirecto siempre precede al directo. Por ejemplo:

Él **me** da una **naranja**.

(CI)

Él **me la** da.

(CI)(CD)

Cuando hay dos complementos en tercera persona (le, la/s,

lo/s), el complemento indirecto se cambia por **SE**. Por ejemplo:

Yo le llevo **un regalo** a Beatriz.

    (CI)

Yo **se lo** llevo.

    (CD)

Ellos **le** muestran el jardín a Silvia.

Ellos **se lo** muestran.

Ejercicios:

Complementos directos

1. ¿Lees *Don Quijote*?

2. Sí____leo.

3. ¿Contestas el teléfono cuando estás en clase?

4. No, no____contesto porque estoy estudiando.

5. ¿Compras helado?

6. Sí, sí____compro y de chocolate con nueces

7. ¿Visitas a la abuela?

8. Sí, sí____visito todos los fines de semana.

9. ¿Tienes los libros para la clase?

10. Sí, sí____tengo.

Complementos indirectos

1. Yo____doy una galleta a mi perro Darwin.

2. Mi madre____compra un regalo.

3. Mis profesores____dan a nosotros buenas notas.

4. ¿Quién____trae a casa a ti después de la fiesta.

5. El doctor____da medicina a los pacientes.

e. Uso de verbos en contexto.

1. Completar los espacios en blanco con la siguiente lista de verbos. Use el Pretérito o el Imperfecto:

Llevar

Divisar

Abrazar

Mostrar

Caerse

Coser

Masticar

Ocultar

Beber

Acercarse

Ayer, antes de salir para la escuela, _____ a mi gato. Cuando subí al bus _____ mi casa desde la ventana. A la vez que _____ mi mochila en mis piernas, tenía mi calculadora en la mano. Mi amigo me _____ la tarea de español. En el bus la música sonaba y otra amiga hacía algo extraño: _____ sus calcetines. Yo jugaba mientras _____ chicle. Cuando llegamos a la escuela mi amiga se _____ y se lastimó la rodilla. Entonces yo me _____ y ella _____ de mi botella y murmuró: gracias. Yo _____ mi sorpresa porque era mi chica favorita.

2. Escriba cinco preguntas y sus cinco respuestas usando el objeto directo e indirecto. Por ejemplo:

-¿Quién la abrazó?   ¿Qué le llevó de regalo?
-Me abrazó su madre.   Me llevó una gata.

3. Use el pronombre directo (me, te, lo, la, nos, os, los, las) o indirecto (me, te, le, nos, os, les) de acuerdo al contexto. Use forma de Usted. Recuerde que es un diálogo:

a. Hola Are. ¿Quién ____ cosió la piel?

b. Me ____ cosí yo misma.

c. ¿Bebió agua del río?

d. Sí, ____ bebí.

e. ¿Por qué ____ pusieron en la tierra?

f. Porque el rey es malo. Yo ____ dije que no sabía dónde estabas.

g. Yo ____ voy a mostrar a ellos mi poder.

h. No ____ haga nada porque son muy malos.

i. ¿Dónde está la amatista?

j. No sé donde ____ puso usted.

Capítulo VI

El reino azul

Victoriosamente Vicky la abrazó y partieron al *reino azul*. Desde allí se divisaba el mar. Las dos amigas, un poco agotadas[56], se recostaron a contemplar el océano. Un niño se acercó y les dio la bienvenida:

—Mi nombre es Martín, sabía que vendrían. Las llevaré a Pueblo Profundo.

El nuevo amigo les mostró cómo los hombres trabajaban en

---

56   were exhausted

el telar[57], mientras las mujeres cosían las mochilas[58]. Sin embargo, entre ellos se notaba una gran preocupación por la extinción del color azul, ya que éste era la fuente de vida[59] y trabajo del pueblo.

Are durmió esa noche allí porque quería probar la sustancia prohibida a las hembras[60], según los ancestros y el propio Martín. Sigilosamente, al amanecer, la pequeña sustrajo de una mochila un poporo[61]. Al mismo tiempo una mano misteriosa se robó su amatista. Ella masticó una pasta blanca hasta saciarse[62]. Inmediatamente se convirtió en una gata de espesa sangre azul. Entonces, Nama, el consejero de Pueblo Profundo le dijo a su rey:

—La presa cayó en su trampa[63].

—Captúrenla. —Ordenó el monarca a su pueblo, a la vez que acariciaba lentamente la piedra amarilla—. Y tú, Victoria Regia, agonizarás porque no beberás ni una gota de agua, ja, ja, ja...

Dos guerreros clavaron[64] a la hoja en la mitad de la aldea.

Pasaron siete semanas y los habitantes no encontraban a la gata. El rey montó en cólera[65], prohibiendo que sus súbditos durmieran hasta no hallar al animal.

Vicky, semiseca y carcomida[66] por los insectos, creyó ver a pocos metros una sombra.

—Eres tú Are —murmuró la hoja clavada en la tierra.

—Sí, resiste un poco Vicky —dijo Are.

---

57   men were weaving
58   while the women were sewing backpacks
59   the source of life and the town's livelihood
60   a substance forbidden to women
61   an indigenous pitcher with a straw
62   until she was full
63   The prisoner walked right into her own trap.
64   Two warriors nailed the leaf in the middle of town.
65   The king became enraged.
66   half eaten and dehydrated

—¡Hey, encontré la gata negra de sangre azul! —avisó una voz de un hombre.

—No la dejen escapar —contestaron al unísono los cazadores[67].

A pesar de que Are brincó por los techos, evadió redes y manos[68], fue atrapada y encerrada en una estrecha celda. Las trece lunas del *reino azul* la chupaban. Después de treinta y tres días de cautiverio de Are el rey muy complacido se aproximó:

—Necesito tus vidas y tu tinta azul; así brillará nuevamente la azulina. Con tu muerte podré prolongar mi mandato[69].

Martín escuchó las palabras del monarca y no quiso participar en las festividades ordenadas por el tirano. En la oscuridad, burlando la guardia de seguridad, liberó a la gata.

—¿Dónde ocultan mi piedra, Martín? —maullando[70] interrogó Are.

—La amatista está en el templo sagrado, corre. No puedo decir más —contestó el niño asustado.

Are encontró al soberano embriagado[71] sobre una manta y en una de sus manos él tenía la piedra que ella buscaba. La gata se aproximó al rey conteniendo su ronroneo[72] felino. De inmediato pensó en su amiga Vicky y, en un abrir y cerrar de ojos[73], el cristal transparente la llevó junto a la hoja.

---

67   the pack of hunters repeated
68   avoided nets and hands
69   prolong my mandate
70   meowing like a cat
71   drunk
72   purring
73   in the blink of an eye (quickly)

Capítulo VI

f. Verdadero o Falso

Escriba V (verdadero) o F (falso) de acuerdo con la lectura del capítulo VI. Explique en una frase por qué es falso:

1. _____Desde del *reino azul* se veían las montañas.

2. _____Martín llevó a Are y Vicky a un río.

3. _____Las mujeres cosían mochilas y los hombres sus zapatos.

4. _____El color verde era la fuente de vida del reino.

5. _____El rey se robó la amatista de Are.

6. _____Are se convirtió en una perra de color café.

7. _____Victoria Regia podía tomar agua.

8. _____Vicky estaba carcomida por los insectos.

9. _____El rey quería las vidas de la gata.

10. _____Are recuperó la amatista y liberó a su amiga.

g. Responda las siguientes preguntas:

1. ¿Dónde están ahora Are y Vicky?

2. ¿Quién es Martín?

3. ¿Qué trabajo hacían los hombres en Pueblo Profundo?

4. ¿Cuál era la fuente de vida del pueblo?

5. ¿Qué quería comer Are?

6. ¿Quién se robó la amatista de Are? ¿Por qué?

7. ¿Dónde clavaron los guerreros a Vicky?

8. ¿Quién capturó a Are?

9. ¿Para qué necesitaba el rey las vidas y la tinta azul de la

gata?

10. ¿Por qué Martín no quiso celebrar las fiestas del pueblo?

h. Preguntas personales

Responda de acuerdo con su opinión:

1. ¿Cómo se siente cuando hace algo prohibido?

2. ¿Qué piensa de los dictadores?

3. ¿Qué haría si estuviera encerrado/a en una casa sin ventanas?

i. Use la imaginación:

Dibujar, hacer un collage o recortar de una revista o un periódico una escena que ilustre, de acuerdo con su interpretación, *El reino azul*.

j. Escriba las tildes:

1- Abrazo
2- Oceano
3- Martin
4- Llevare
5- Mostro

6- Cosian
7- Querian
8- Robo
9- Convirtio
10- Colera

Capítulo VII

Antes de leer

a. Vocabulario

Busque el vocabulario de las palabras de la columna A y escoja la definición más apropiada en la columna B.

A	B
a. Amarillo	1. Contrario de frío
b. Arena	2. Color
c. Calor	3. Hay en la playa
d. Misión	4. Contrario de luna
e. Pescador	5. Agua
f. Pálido	6. Cáncer
g. Sol	7. Trabajo
h. Mar	8. Pesca
i. Enfermedad	9. Contrario de colorado
j. Amiga	10. Compañera

b. Palabras similares en español e inglés

Haga una lista de palabras parecidas en los dos idiomas del capítulo VII (*El reino amarillo*).

c. Expresiones

Estudie las siguientes oraciones:

Cargar en brazos	To carry in one's arms
Sofocado y sediento	Out of breath and thirsty
Prolongar la vida	To extend life
Tener una misión en la vida	To have a mission in life
Era una hoja seca	Was a dried leaf
Estar pálido	To be pale, colorless
Algún día	Some day
Volver a despertar	To wake up again

d. Volver + a + verbo

Escriba cinco oraciones con volver (Pretérito) +a +verbo. Use verbos regulares. Por ejemplo. Yo volví a caminar en la playa.

Futuro de verbos regulares

	AR	ER	IR
	Hablar	**Comer**	**Vivir**
Yo	habl**aré**	com**eré**	viv**iré**
Tú	habl**arás**	com**erás**	viv**irás**
Él	habl**ará**	com**erá**	viv**irá**
Ella	habl**ará**	com**erá**	viv**irá**
Usted	habl**ará**	com**erá**	viv**irá**
Nosotros/as	habl**aremos**	com**eremos**	viv**iremos**
Vosotros/as	habl**aréis**	com**eréis**	viv**iréis**
Ellos/as/Ustedes	habl**arán**	com**erán**	viv**irán**

Algunos verbos irregulares

	dar	**ser**	**ir**
Yo	d**aré**	s**eré**	**iré**
Tú	d**arás**	s**erás**	**irás**
Él	d**ará**	s**erá**	**irá**
Ella	d**ará**	s**erá**	**irá**
Usted	d**ará**	s**erá**	**irá**
Nosotros/as	d**aremos**	s**eremos**	**iremos**
Vosotros/as	d**aréis**	s**eréis**	**iréis**
Ellos/as/Ustedes	d**arán**	s**erán**	**irán**

	poner	**tener**	**venir**
Yo	pon**dré**	ten**dré**	ven**dré**
Tú	pon**drás**	ten**drás**	ven**drás**
Él	pon**drá**	ten**drá**	ven**drá**
Ella	pon**drá**	ten**drá**	ven**drá**
Usted	pon**drá**	ten**drá**	ven**drá**
Nosotros/as	pon**dremos**	ten**dremos**	ven**dremos**
Vosotros/as	pon**dréis**	ten**dréis**	ven**dréis**
Ellos/as/Ustedes	pon**drán**	ten**drán**	ven**drán**

Ejercicios:

1. Las plantas_____(nacer) en la primavera.

2. El equipo_____(jugar) contra Argentina.

3. Yo_____(cumplir) con la misión.

4. Papá Noel_____(traer) regalos a los niños.

5. Nosotros_____(visitar) las islas caribeñas.

6. Roberto y Miguel_____(poder) venir a la fiesta.

7. No_____(venir) temprano.

8. Los soldados_____(ir) a la guerra.

9. Ella_____(ser) una gran actriz.

10. Las tortugas_____(poner) los huevos en la playa.

Composición:

Escribir una composición en Futuro. Tema: los planes para las próximas vacaciones. Use verbos regulares e irregulares. Mínimo diez oraciones. Ejemplo:

El próximo verano estudiaré un curso de historia latinoamericana. Luego trabajaré en un campamento de verano en el Parque Central de Nueva York. Aprenderé cosas nuevas y cuidaré a los pingüinos. Será una gran experiencia. También iré con mis padres a las Islas Galápagos en Ecuador. Veremos a las tortugas gigantes, a las iguanas y a muchos pájaros exóticos que viven allí. Tendré la oportunidad de hablar con los biólogos y los científicos. Sin duda, lo pasaré muy bien el próximo verano.

e. Uso de verbos en contexto

1. Completar los espacios en blanco con la siguiente lista de verbos. Use el Futuro:

Clavar
Cargar
Desplomarse
Encontrarse
Emanar

Bañarse
Dormirse
Volver
Partir
Pasar

Mañana _____ en el cuarto de mi madre. Por la mañana me levantaré____ _____ bien temprano. Entonces _____ para el aeropuerto porque viajaré a Madrid. En la sala de espera ____ _____ con mi tío porque él _____ con sus propias maletas. Espero que mi tío no se _____ del cansancio. Nosotros _____ por el detector de metales. Mi tío siempre fuma pero creo que su chaqueta no _____ olor a humo. Mi madre me pidió un cuadro porque ella lo _____ en la pared de la sala. Yo _____ en dos semanas.

2. Escriba diez oraciones en Futuro. Use la lista de verbos del ejercicio 1 de la parte **e**.

3. Conjugue la forma correcta del verbo en Futuro:

   a. El carpintero _____ (clavar) las puntillas en la ventana.

   b. Ellos _____ (cargar) los libros a la biblioteca.

   c. El hombre _____ (almacenar) el maíz en la casa.

   d. El doctor le _____ (prolongar) la vida.

   e. Las rosas _____ (emanar) perfume.

   f. ¿ _____ (volver) tú el próximo año?

   g. El tren _____ (partir) a las cinco en punto.

   h. Yo le _____ (enseñar) en donde está la Cruz Roja.

   i. No me _____ (desplomarse) en el examen.

   j. Los turistas se _____ (bañarse) en el mar.

Capítulo VII

El reino amarillo

La infante desclavó a su amiga[74] y quiso estar en el *reino amarillo*. Are cargó en brazos a su compañera Vicky.

Cansada de caminar por la playa y sofocada por el calor[75], la niña se desplomó[76]. Vicky se estiró, depositando en sus labios el poco néctar que ella almacenaba en su garganta. Era la única manera de prolongar la vida de Are y por consiguiente su misión.

---

74 Are freed her friend.
75 suffocating from the heat
76 fainted

Al despertar Are, Vicky yacía inerte[77] sobre la arena ardiente: era una hoja seca. La niña la recogió, caminó durante varias horas y así fue como conoció a Amílkar, un pescador de isabelitas doradas[78]. El niño amorosamente le enseñó un pálido pescadito. Él le dijo que se encontraba muy acongojado[79] por la enfermedad de sus amigos los peces y según sus propias palabras todo era debido a la ausencia de melanina[80], que emanaba del sol.

—Algún día nos bañaremos con las isabelitas doradas, hasta luego —sonrió Are con los ojos llenos de lágrimas.

—Con tu amiga también? —preguntó Amílkar —¿Acaso está dormida?

—Ella no volverá a despertar[81].

Antes de partir, Are dejó el cuerpo de Vicky sobre el mar. La niña deseó entonces, con toda su alma[82], pasar al *reino rojo*.

---

77   Vicky was motionless
78   gold fish
79   distressed
80   melanin
81   She won't be waking up again.
82   with all her heart

Capítulo VII

Después de leer

f. Verdadero o Falso

Escriba V (verdadero) o F (falso) de acuerdo con la lectura del capítulo VII. Explique por qué es falso:

1. _____ Are llevó a su amiga en la espalda.

2. _____ En el *reino amarillo* hacía calor.

3. _____ Are se desmayó por el cansancio.

4. _____ Vicky depositó su néctar en las manos de Are.

5. _____ Vicky estaba enferma.

6. _____ La hoja no estaba muerta.

7. _____ Amílkar era doctor.

8. _____ Los peces estaban contentos.

9. _____ Las isabelitas eran pájaros.

10. _____ El próximo reino es el blanco.

g. Responda las siguientes preguntas:

1. ¿Por qué cargó Are a su amiga?

2. ¿Cómo era el *reino amarillo*?

3. ¿Por qué Vicky le dio de beber su néctar a Are?

4. ¿Quién era Amílkar?

5. ¿Qué es un pescador?

6. ¿Por qué estaba triste Amílkar?

7. ¿Qué eran las isabelitas doradas?

8. ¿Por qué estaba Are deprimida?

9. ¿Por qué se murió Vicky?

10. ¿Adónde quiso volar Are?

h. Preguntas personales

Responda de acuerdo con su opinión:

1. ¿Qué hace cuando su mejor amigo/a está enfermo/a?

2. ¿Donaría un riñón a una persona que no conoce? ¿Por qué?

3. ¿Cuáles son sus peces favoritos? ¿Por qué?

i. Use la imaginación:

Dibujar, hacer un collage o recortar de una revista o periódico una escena que ilustre, de acuerdo con su interpretación, *El reino amarillo*.

j. Escriba las tildes:

1- Desclavo	6- Desplomo
2- Cargo	7- Recogio
3- Estiro	8- Camino
4- Nectar	9- Palido
5- Mision	10- Tambien

Capítulo VIII

Antes de leer

a. Vocabulario

Busque el vocabulario de las palabras de la columna A y escoja la definición más apropiada en la columna B.

A	B
a. Pequeño	1. Ave
b. Papá	2. Salen de las nubes
c. Buitre	3. Apagan los bomberos
d. Rayos	4. Vestido largo
e. Fuego	5. Animal peludo
f. Túnica	6. Contrario de odio
g. Bola	7. Contrario de grande
h. Oso	8. Piedra
i. Amor	9. Contrario de mamá
j. Roca	10. Pelota

b. Palabras similares en español e inglés.

Haga una lista de palabras parecidas en los dos idiomas del capítulo VIII (*El reino rojo*)

c. Expresiones

Estudie las siguientes oraciones:

Sin papá	Fatherless
Desaparecer en estampida	To disappear in a stampede
Mirada fulminante	A dirty look
La tierra se abrió	The earth opened up
Mi morada es tu casa	My home is your home
Abrir los ojos lentamente	Open one's eyes slowly
Los labios más hermosos	The most beautiful lips
Era imposible amar	It was impossible to love

d. Diminutivo

En español se forma el diminutivo suprimiendo la terminación de acuerdo al género y al número del sustantivo o adjetivo. Luego se agrega ITO/ITA, ILLO/ILLA, CITO/CITA, CILLO/CILLA,. Por ejemplo: ojo-ojito, rojo-rojito/a, salón-saloncito. El diminutivo se usa en muchas regiones de Latinoamérica y se usa para expresar delicadeza o ironía.

Escriba diez oraciones en Presente con sustantivos y adjetivos usando el diminutivo. Por ejemplo: La casita es amarillita.

Ejercicios:

1. Bola:_____

2. Oso:_____

3. Hormiga:_____

4. Perro:_____

5. Pollo:_____

6. Caballo:_____

7. Pájaro;_____

8. Amarillo:_____

9. Rojo:_____

10. Sopa:_____

11. Mamá:_____

12. Papá:_____

e. Uso de verbos en contexto.

Perfecto de indicativo

	Haber	hablar
Yo	he	hablado
Tú	has	hablado
Él	ha	hablado
Ella	ha	hablado
Usted	ha	hablado

Nosotros	hemos	hablado
Vosotros	habéis	hablado
Ellos/as/ustedes	han	hablado

	Haber	comer	vivir
Yo	he	comido	vivido
Tú	has	comido	vivido
Él	ha	comido	vivido
Ella	ha	comido	vivido
Usted	ha	comido	vivido
Nosotros	hemos	comido	vivido
Vosotros	habéis	comido	vivido
Ellos/as/ustedes	han	comido	vivido

Pluscuamperfecto de indicativo

	Haber	hablar
Yo	había	hablado
Tú	habías	hablado
Él	había	hablado
Ella	había	hablado
Usted	había	hablado
Nosotros	habíamos	hablado
Vosotros	habíais	hablado
Ellos/as/ustedes	habían	hablado

	Haber	comer	vivir
Yo	había	comido	vivido
Tú	habías	comido	vivido
Él	había	comido	vivido
Ella	había	comido	vivido
Usted	había	comido	vivido
Nosotros	habíamos	comido	vivido
Vosotros	habíais	comido	vivido
Ellos/as/ustedes	habían	comido	vivido

1. Completar los espacios en blanco con la siguiente lista de verbos. Use el Perfecto de indicativo (HABER + **ADO** or **IDO** para verbos regulares). Por ejemplo:

Yo he llorado mucho.

Ella ha volado a San Andrés.

Notar
Tener
Rodear
Arrojar
Encender
Consumir
Rodar
Tomar
Enamorarse
Amar

María siempre____ _____ a Efraín. Ella____ _____ muchas fotografías de Efraín. El____ _____ por muchos países de América. El ____ _____ muchas novias en todas partes. María ____ _____ que Efraín no habla por teléfono con ella y está muy triste. Ella está ciega de amor. En su corazón se ____ _____ la llama de la pasión. Pero él no le ____ _____ una rosa a su ventana. Ella ____ _____ muchos chocolates por la angustia. Sus amigas la ____ _____ con mucho amor y comprensión. María llora porque se ___ _____ de Efraín.

2. Escriba oraciones en Perfecto de indicativo. Use la siguiente lista de verbos irregulares:

Infinitivo	Participio
Abrir	Abierto
Cubrir	Cubierto
Decir	Dicho
Devolver	Devuelto
Escribir	Escrito
Hacer	Hecho
Morir	Muerto
Poner	Puesto

Ver	Visto
Volver	Vuelto

3. Conjugue la forma correcta del verbo en Perfecto de indicativo:

    a. Yo me ____ _____(sorprenderse) mucho por la noticia.

    b. Nosotros ____ _____(tener) buenos profesores.

    c. Aníbal se ____ _____(enamorarse) de los tenis rojos.

    d. El pelotero ____ _____(lanzar) la pelota muy lejos.

    e. Ellos no ____ _____(ver) la señal de tráfico. Parecen ciegos.

    f. ¿Quién ____ _____(abrir) el libro?

    g. El edificio se ____ _____(encenderse)

    h. ¿Por qué no ____ _____(hacer) la tarea?

    i. Tú ____ _____(ir) al concierto tres veces.

    j. Las margaritas ____ _____(florecer) en el jardín.

Capítulo VIII

El reino rojo

En ese lugar se sorprendió al ver que todos los muchachitos tenían los ojos rojos. Ellos, al notar su presencia, la rodearon[83] y un pequeñín preguntó:

—¿Tienes papá?

—Sí —contestó Are.

—¡Ah!, por eso es que no lloras.

---

83   surrounded

—¿Es que ustedes no tienen padre? —preguntó ella con ingenuidad.

De pronto[84], los pequeños callaron y en estampida[85] desaparecieron.

Un buitre, que lanzaba rayos fulminantes[86], rodeó a Are. Ella intentó esconderse pero el ave arrojó de su pico una baba rojiza[87] encegueciendo sus ojos. Desde ese momento todo lo que miraba la niña se consumía por el fuego. Las llamas la rodeaban y cuando su túnica se encendió, cerró los ojos que lloraban fuego[88]. Fue precisamente en ese momento en que la tierra se abrió. Are rodó como una bola de fuego[89] y cayó en la morada[90] del Oso Anteojos.

—Ya es la quinta vez que Buitrina la Pechugona me despierta —dijo el oso bostezando[91].

—No puedo abrir los ojos, quemaría tu casa.

—Toma mis anteojos.

—Gracias. ¿Quién es Buitrina? —preguntó Are abriendo los ojos con lentitud.

Buitrina era la niña de los labios más hermosos del *reino rojo*. Todo lo que besaba florecía. Un día, mientras paseaba con sus hermanitos, el príncipe Volney sangre de Buey la vio desde la torre de su castillo. A partir de aquel momento se enamoraron[92]. Pero ella estaba destinada a los dioses del amor y al ver que era imposible amar se lanzó a un precipicio[93]. De las profundidades surgió

---

84   suddenly
85   stampeded
86   deadly lightning bolts
87   reddish saliva
88   closed her fiery teary eyes
89   ball of fire
90   home
91   The bear said as he yawned.
92   They fell in love
93   canyon

Buitrina la Pechugona, quien se alimenta de la sangre de los niños.

—Antes de continuar con mi relato, debo conseguirte un poco de néctar[94] para alimentarte. Descansa pequeña, estás muy pálida. Cierra la roca cuando salgas.

---

94   nectar

Capítulo VIII

Después de leer

f. Verdadero o Falso

Escriba V (verdadero) o F (falso) de acuerdo con la lectura del capítulo VIII. Explique por qué es falso:

1. _____Los muchachitos tenían los ojos azules.

2. _____Are no tenía papá.

3. _____Un buitre, que lanzaba fuego, rodeó a Are.

4. _____Todo lo que miraba Are se convertía en sal.

5. _____Los ojos de Are lloraban agua.

6. _____La niña cayó sobre la casa del Oso Anteojos.

7. _____Buitrina la Pechugona era una rana.

8. _____El Oso Anteojos le dio a Are un pan.

9. _____El príncipe Volney sangre de Buey se enamoró de Are.

10. _____Are estaba muy cansada.

g. Responda las siguientes preguntas:

1. ¿Por qué se sorprendió Are en el *reino rojo*?

2. ¿De qué color eran los ojos de los niños?

3. ¿Quién es el padre de Are?

4. ¿Qué enceguació a la niña?

5. ¿Por qué se encendió la túnica de Are?

6. ¿Cuántas veces se había despertado el Oso?

7. ¿Por qué Are no podía abrir los ojos?

8. ¿Quién era Buitrina la Pechugona?

9. ¿Quién era el príncipe Volney sangre de Buey?

10. ¿Por qué salió el oso de su cueva?

h. Preguntas personales
Responda de acuerdo con su opinión.

1. ¿Qué opina del divorcio?

2. ¿Cuándo ha llorado?

3. ¿Se ha enamorado de alguien alguna vez? ¿Qué sintió?

i. Use la imaginación
Dibujar, hacer un collage o recortar de una revista o periódico una escena que ilustre, de acuerdo con su interpretación, *El reino rojo*.

j. Escriba las tildes:

1- Sorprendio	6- Arrojo
2- Tenian	7- Encendio
3- Papa	8- Cerro
4- Rodeo	9- Rodo
5- Intento	10- Dia

Capítulo IX

a. Vocabulario

Busque el vocabulario de las palabras de la columna A y escoja la definición más apropiada en la columna B.

A	B
a. Hormiga	1. Donde se lavan los platos
b. Gafas	2. Potencia
c. Sueño	3. Debajo de la tierra
d. Banquete	4. Mucha comida
e. Túnel	5. Caminos sin salida
f. Laberinto	6. Por donde sale el agua
g. Corriente	7. Insecto
h. Llave	8. Para los ojos
i. Lavaplatos	9. Río rápido
j. Fuerza	10. Por la noche

b. Palabras similares en español e inglés

Haga una lista de palabras parecidas en los dos idiomas del capítulo IX (*El reino de las hormigas*).

c. Expresiones

Estudie las siguientes oraciones:

Dormir profundamente	To sleep deeply
Escuchar voces	To hear voices
Una voz de alarma	A voice of alarm
Sálvase quien pueda	Every person for him or her self
El agua rueda	The water rolls
Camarón que se duerme se lo lleva la corriente	Time and tide wait for no one
Chorro de agua	A gush of water

d. Imperativo (Mandatos)

El modo Imperativo se usa para dar una orden, un ruego o una súplica:

Tú (informal)	Ud. (formal)
Limpia el cuarto, hijo	No fume en el avión
Haz la tarea, por favor	No entre. Ocupado
Trae el libro a clase	No tome drogas

Se forma así:

Verbos regulares

Afirmativo	Hablar	Comer	Vivir
Tú	Habla	Come	vive
Usted	Hable	Coma	viva
Ustedes	Hablen	Coman	vivan
Nosotros	hablemos	Comamos	vivamos
Vosotros	Habléis	Comáis	Viváis
Negativo			
Tú	No hables	Comas	Vivas
Usted	No hable	Coma	Viva
Ustedes	No hablen	Coman	Vivan
Nosotros	No hablemos	Comamos	Vivamos
Vosotros	No habléis	Comáis	Viváis

Verbos irregulares (Tú)

Verbos	Afirmativo	Negativo
Decir	di	No digas
Hacer	haz	No hagas
Ir	ve	No vayas
Poner	pon	No pongas
Salir	sal	No salgas
Ser	sé	No seas
Tener	ten	No tengas
Venir	ven	No vengas

Ejercicios:

Verbos	Tú	No tú	Ud.	No Ud.	Uds.	Nos.
Amar						
Tomar						
Coger						
Correr						
Abrir						
Decir						
Hacer						
Poner						
Ir						
Salir						
Ser						
Tener						
Venir						
Cerrar						
Pensar						
Dormir						
Volver						
Pedir						
Repetir						

e. Se impersonal

Se usa el **SE** impersonal para afirmar o negar de forma general. Se forma de la siguiente manera: **SE + VERBO** (Tercera persona del singular o del plural, él o ellos).

Por ejemplo:

Se vende computadora en buen estado

Se escuchan voces misteriosas.

No **se** fuma en el avión.

Se venden hormigas culonas.

Ejercicios:

Traducir al español

1. Spanish is spoken here.

   _____

2. Fresh apples are sold here.

   _____

3. Used cars are sold here.

   _____

4. Colombian emeralds are sold here.

   _____

5. Credit cards are accepted.

   _____

6. Smoking is prohibited in this area.

   _____

7. Eating is prohibited in the train.

   _____

8. Hunting bears is prohibited.

   _____

9. Fishing sharks is prohibited.

   _____

10. Swimming is permitted after 10:00 a.m.

    _____

Escriba cinco oraciones en afirmativo y cinco en negativo con el **SE** impersonal. Conjugue los verbos en Pretérito.

f. **Uso de verbos en contexto**

1. Completar los espacios en blanco con la siguiente lista de verbos. Use el Pretérito.

   Quitarse
   Ponerse

Apurarse
Salvarse
Conmoverse
Abandonar
Empujar
Salir

Cuando llegué a mi casa ____ _____ los tenis. Mi madre ____ _____ y me dijo que me sentara a la mesa a cenar. Ella no ____ _____ porque yo estaba muy cansado. Yo ____ _____ de nuevo los tenis. Esa tarde mis hermanos no estaban en casa y ____ _____ porque mamá estaba de muy mal humor. Yo _____ el comedor y me fui a mi cuarto a escuchar música. _____ la puerta pero mi perro no me dejó entrar. Nadie me quería en casa, entonces _____ a la calle.

2. Escriba ocho oraciones en Pretérito. Use la lista de verbos del ejercicio 1 de la parte **e**.

3. Conjugue la forma correcta del verbo en Pretérito:

a. El río _____(salir) al océano.

b. ¿Quién_____(empujar) el coche?

c. La bola de nieve_____(rodar) por la montaña.

d. El salvavidas_____(salvar) el perro.

e. Ella no se_____(conmoverse) por mi tristeza.

f. Nosotros no nos_____(quedarse) en el laberinto.

g. Ustedes se_____(quitarse) las hormigas de la mano.

h. ¿Por qué no te_____(ponerse) la camiseta blanca?

i. El viento_____(arrastrar) las hojas en otoño.

j. Usted no_____(escuchar) la alarma de la casa.

Capítulo IX

El reino de las hormigas

Are durmió profundamente sin quitarse las gafas y escuchó en sus sueños muchas voces:

Apúrense[95]

uno, dos y tres,

cuatro, cinco y seis,

---

95   Hurry up!

que buen banquete os daréis[96];

siete, ocho, nueve

la Reina Pitucha no se conmueve[97].

La niña era arrastrada por millones de hormigas a través de un túnel. Una voz de alarma, que se perdió en los caminos laberínticos del Imperio Pitucho, la despertó:

Sálvese quien pueda[98],

de esto nada queda,

ya que el agua rueda...

Las hormigas abandonaron el cuerpo de Are. Entonces, ella fue arrasada[99] violentamente por la fuerza de la corriente. Un chorro incontenible de líquido[100] la empujó durante varios días y finalmente ella salió por la llave de un lavaplatos de... cierto país, de cierta región, de cierta ciudad multicolor.

---

96 You are going to have a grand banquet.
97 The queen ant was not moved
98 Get out while you still can
99 she was blown around
100 A burst of liquid

Capítulo IX

Después de leer

g. Verdadero o Falso

Escriba V (verdadero) o F (falso) de acuerdo con la lectura del capítulo IX. Explique por qué es falso:

1. _____Are se quitó las gafas para dormir.

2. _____Ella escuchó en sus sueños a un perro.

3. _____Las hormigas arrastraban a Are por un puente.

4. _____Una voz de alarma despertó a Are de su sueño.

5. _____El agua llenó los túneles de las hormigas.

6. _____El líquido la arrastró por años.

7. _____Are se quedó atrapada en el camino.

8. _____La niña llegó por el cable del teléfono.

9. _____Are se encontraba en la ciudad de México.

10. _____Las hormigas son insectos.

h. Responda las siguientes preguntas:

1. ¿Por qué Are durmió con las gafas puestas?

2. ¿Qué escucho ella en sueños?

3. ¿Quién era Pitucha?

4. ¿Qué tipo de comida hay en un banquete?

5. ¿Por dónde se llevaron las hormigas a Are?

6. ¿Por qué se despertó Are?

7. ¿Quiénes dejaron libre el cuerpo de Are?

8. ¿Cuánto tiempo estuvo Are en el agua?

9. ¿Por dónde salió Are?

10. ¿A dónde llegó la niña?

i. Preguntas personales
Responda de acuerdo con su opinión:

1. ¿De qué color son sus sueños?

2. ¿Escucha voces en sus sueños? ¿Cómo son?

3. ¿Cree que el hombre es superior a la fuerza de la naturaleza? ¿Por qué?

j. Use la imaginación
Dibujar, hacer un collage o recortar de una revista o periódico una escena que ilustre, de acuerdo con su interpretación, *El reino de las hormigas*.

k. Escriba las tildes:

1- Durmio
2- Apurense
3- Perdio
4- Salvese
5- Empujo

6- Escucho
7- Tunel
8- Laberintico
9- Liquido
10- Pais

Capítulo X

a. Vocabulario

Busque el vocabulario de las palabras de la columna A y escoja la definición apropiada en la columna B.

A	B
a. Mosca	1. Donde se prepara la comida
b. Cucaracha	2. Ordenador
c. Intrusa	3. Para subir y bajar
d. Basura	4. Para mirarse
e. Cocina	5. Monitor
f. Computador	6. Lo percibimos por la nariz
g. Escalera	7. Vuela
h. Espejo	8. No es bienvenida
i. Pantalla	9. Están en la basura y corren
j. Olor	10. Contamina

b. Palabras similares en español e inglés

Haga una lista de palabras parecidas en los dos idiomas del capítulo X (*El reino multicolor*).

c. Expresiones

Estudie las siguientes oraciones:

Cuerpo maltrecho	A bruised body
Largo de aquí	Get out of here
Hambrientos bichos	Hungry bugs
Estar preparado para el encuentro	To be ready for the encounter
Una voz ronca	A hoarse voice
Olor inconfundible	An unmistakable smell
Gama infinita	An infinite range
Ella se posó en la mano	She landed in his hand

d. Verbo Faltar

Se usa el verbo faltar para indicar ausencia, no existe una cosa o carecer de algo. *Faltan dos jugadores en el equipo. ¿Dónde están?*

Se forma de la siguiente manera: Pronombre (me, te, le, nos, os, les) + Faltar (singular falta/plural faltan) + Sustantivo o verbo en infinitivo.

Por ejemplo: No hice la tarea de español/ Me faltó la tarea de español.

No tengo los libros/ Me faltan los libros.

Me falta el último capítulo.

Me faltó terminar el ejercicio.

Me faltaba colorear esa parte.

Presente	Pretérito	Imperfecto	Futuro
Me falta	faltó	faltaba	faltará
Te falta	faltó	faltaba	faltará
Le falta	faltó	faltaba	faltará
Nos falta	faltó	faltaba	faltará
Os falta	faltó	faltaba	faltará
Les falta	faltó	faltaba	faltará

Algunos verbos que siguen la misma estructura:
Alegrar
Caer bien/mal
Doler
Encantar/desencantar
Fascinar
Gustar/disgustar
Interesar

Escriba diez oraciones distintas en singular y plural. Use los verbos de la lista en Presente, Pretérito, Imperfecto y Futuro.

e. Por y Para

Usos generales de las preposiciones por y para

Por	Para
Causa	Propósito
Intercambio	Finalidad
Duración de tiempo	Destino/hacia/dirección
Autoría	Contra/antídoto
Cercanía	Fecha final
A través de	En provecho de

Ejemplos:

Por

1. Romeo murió **por** amor.

2. Cambié un dólar **por** pesos.

3. Fui a Colombia **por** dos semanas.

4. Veinte poemas de amor **por** Pablo Neruda.

5. El parque está **por** la Avenida Caracas.

6. Me gusta caminar **por** Buenos Aires.

Para

1. Esa llave es **para** abrir la puerta principal.

2. **Para** aprender español hay que estudiar mucho.

3. Ahora voy **para** la casa, estoy en el tren.

4. La miel y el limón son buenos **para** la gripa.

5. El examen es **para** la próxima semana.

6. Pedir ayuda **para** las víctimas del terremoto.

Ejercicios:

1. Todo lo hizo_____pasión.

2. Alejandro el Grande estuvo_____India.

3. Fuimos a Guadalajara_____cinco días.

4. Don Quijote_____Miguel de Cervantes.

5. El Internet sirve_____buscar información.

6. _____el dolor de cabeza es buena la aspirina.

7. Taya se robó los colores_____ambición.

8. Are voló_____los reinos de los colores.

9. Es una campaña_____ayudar a los campesinos.

10. Me gusta pasar_____el puente de Brooklyn.

f. Uso de verbos en contexto

1. Completar los espacios en blanco con la siguiente lista de verbos. Use Presente, Pretérito o Imperfecto:

Abandonar

Acariciar

Apartar

Insultar

Sacar

Penetrar

Lanzar

Llenar

Oler

Sobrevivir

No_____ bien la pelota, pero corro mucho. El partido fue muy difícil y _____ los dos tiempos. Después, cuando llegué a casa _____ a Nerón y lo_____ a la calle para darle un paseo. Mientras caminaba por el vecindario, el cartero _____ el buzón. Cuando regresé del paseo con Nerón recogí las cartas y _____ una que tenía mi nombre. La abrí y _____ a perfume. Con frecuencia a mi hermana le llegaban cartas con olor a rosas, pero no a mí. Sin embargo, esta carta anónima me _____ y decía cosas horribles. Entonces_____ a la casa por la puerta del sótano y lloré mucho. _____ el tenis porque no era un buen jugador.

2. Escriba diez oraciones en Futuro. Use la lista de verbos del ejercicio 1 de la parte **e**.

3. Conjugue la forma correcta del verbo de acuerdo al contexto:

   a. Abraham Lincoln _____ (liberar) a algunos esclavos.

   b. Ayer _____ yo (abandonar) el barco.

   c. ¿Quién _____ (descubrir) América?

   d. Ella _____ (permanecer) en prisión por tres años.

   e. ¿Quién _____ (faltar) por llenar el formulario?

   f. Hace dos días Adriana _____ (lanzar) el balón con una mano.

   g. Mientras el avión se _____ (elevarse) el capitán hablaba en español.

   h. Con frecuencia ella _____ (alargar) su conversación.

   i. Mañana _____ (llenar) la piñata para el cumpleaños de Jaime.

   j. La madre _____ (acariciar) al bebé.

Capítulo X

El reino multicolor

En el lavaplatos de la cocina de cierto país, de cierta región, de cierta ciudad multicolor, las cucarachas caminaban sobre el cuerpo maltrecho[101] de Are. Una mosca unialada[102] le gritó:

—Largo de aquí, intrusa.

Are abandonó el sucio lavaplatos, omitiendo los insultos de los hambrientos bichos. Ella apartó la basura que encontró a su

---

101   bruised body
102   with one wing

paso, sacó la piedra del tamaño de un garbanzo, anheló hallar[103] el laboratorio de Taya, ya que estaba preparada para su encuentro. La amatista no alumbró como Are esperaba y entonces ella descubrió que se encontraba en la cocina del mismísimo hombre solitario.

La niña bajó la escalera de caracol[104] hasta penetrar en un cuarto recubierto de espejos. Se miró con vanidad[105] y en una esquina divisó la pantalla estelar en donde pemanecían atrapados todos los colores. Una voz ronca[106], que venía desde atrás, la sorprendió:

—Tu olor es inconfundible[107]. Te esperaba, eres el único punto que falta[108] para llenar la pantalla —dijo maliciosamente Taya—. Jamás imaginé una visita tan agradable por la tubería del lavaplatos.

—Pero si yo no tengo color ni olor —contestó Are, mientras se acercaba al teclado del computador.

—¡Ah!, uh, con que diciéndome mentiras. Yo conozco tu juego[109], ¡mariposa!

—¿Mariposa, yo? Estás loco hombre, no ves que soy una niña, acaso poseo alas[110]?

En ese momento, en el Salón de las Imágenes, Taya le lanzó unos telones de seda para retenerla. Ella se elevó y alargando su mano derecha oprimió una tecla del computador. Así liberó a todos los colores. El cuarto de espejos se llenó de mariposas verdes, azules, amarillas, rojas, blancas, anaranjadas y violetas.

—Yo sólo quería tener una gama infinita de colores, para oler

---

103 she wanted to find
104 spiral staircase
105 She looked at herself in a vain manner.
106 A gravelly voice
107 Your scent is unmistakable.
108 you are the only thing missing
109 I am onto your game, butterfly!
110 Then where are my wings?

como Sintana —dijo Taya sollozando y arrodillado en un rincón[111].

—Lo siento mucho, pero hasta las mariposas necesitan del color.

—Entonces eres una niña?

—Soy una mariposa blanca...

Érase que se era,

la única forma de sobrevivir es mentir,

pues si dices quien eres no vas a poder

seguir...

El salón se iluminó de una voz dorada[112]. Era la serpiente de un ojo transparente, piel oscura, lengua pepeada y un lunar verde.

En ese instante la pequeña, quien había dicho la verdad[113], se convirtió en la más brillante y hermosa de todas las mariposas blancas. Los reinos recuperaron su color y en la pantalla estelar apareció la imagen de una hoja más grande que un elefante y tan blanda como un colchón. Vicky estaba rodeada de delfines rosados e isabelitas amarillas.

Are, la mariposa, se posó en la mano derecha de Taya el hombre solitario[114]. El acarició sus alas.

Y como dice don Alín, este cuento llegó a su fin.

---

111 Taya sobbed, sitting in a corner.
112 A velvety voice filled the room.
113 who had told the truth
114 Are, the butterfly, was perched on the lonely man's hand.

Capítulo X

g. Verdadero o Falso

Escriba V (verdadero) o F (falso) de acuerdo con la lectura del capítulo X:

1. _____Are llegó a la ciudad multicolor.

2. _____El lavaplatos de la cocina de Taya estaba sucio.

3. _____Una mosca unialada le dio la bienvenida a Are.

4. _____La niña no estaba preparada para ver a Taya.

5. _____La amatista alumbró.

6. _____Los colores estaban atrapados en la esfera estelar.

7. _____Taya tenía todos los colores.

8. _____El hombre solitario quiso atrapar a Are con la mano.

9. _____Are liberó sólo al amarillo, azul y rojo.

10. _____La niña dijo la verdad y se convirtió en mariposa.

h. Responda las siguientes preguntas:

1. ¿Qué son cucarachas?

2. ¿Quién le gritó "intrusa" a Are?

3. ¿Cómo era la cocina de Taya?

4. ¿Por qué no alumbró la amatista de Are?

5. ¿En dónde estaban atrapados los colores?

6. ¿Cuál era el único color que le faltaba a Taya en la pantalla?

7. ¿Por qué Are se acercó al computador?

8. ¿Para qué quería Taya los colores?

9. ¿Le dijo Are la verdad a Taya?

10. ¿Al final se hicieron amigos Are y Taya? ¿Por qué?

i. Preguntas personales

1. Describa la cocina de su casa.

2. ¿Cree que el computador es necesario para la vida de los seres humanos. ¿Por qué?

3. Si ve a un amigo/a que roba un chocolate en un supermercado, ¿llama a la policía? ¿Qué hace?

4. Escriba otra versión final del cuento.

j. Use la imaginación

Dibujar, hacer un collage o recortar de una revista o un periódico una escena que ilustre, de acuerdo con su interpretación, *El reino multicolor*.

k. Escriba las tildes:

1- Aqui	6- Alumbro
2- Aparto	7- Descubrio
3- Encontro	8- Mismisimo
4- Saco	9- Diviso
5- Anhelo	10- Atras

Glosario

A

Abuelo – n.m. grandfather

Acariciar – v. to caress, to pet

Acercar – v. to bring near, to draw up, to approach or get near

Acongojar – v. to be distressed about, to grieve

Acontecimiento – n.m. an event, a happening

Advertir – v. to notice, to warn, to advise

Afán – n.m. eagerness, anxiety, ardor

Afanoso – adj. laborious, hardworking, eager

Ágil – adj. agile

Agonizar – v. to be dying

Agotado – adj. exhausted

Agrandar – v. to enlarge, to aggrandize, to make greater or bigger

Agua – n.f. water

Alargar – v. to lengthen, to prolong, to stretch out, extend

Aldea – n.f. village

Alegre – adj. happy

Aliado – adj. ally

Alma – n.m. soul, spirit, inhabitant

Almacenar – v. to store, to put in storage, to hoard

Altura – n.f. height, altitude

Alumbrar – v. to light, to give light to, enlighten

Amanecer – v. to see in the dawn (sunrise)

Amarillo – adj. yellow

Amatista – n.f. amethyst

Amiga – n.f. friend

Amor – n.m. love

Angustiado – adj. worried, anguished

Anhelo – n.m. longing

Ansioso – adj. anxious, troubled, eager

Aparecer – v. to appear, show up

Apenas – adv. hardly, scarcely

Apoderarse – v. to take possession, to seize

Apresurar – v. to hurry, hasten

Apurarse – v. to hurry up, to be worried

Árbol – n.m. tree

Arena – n.f. sand

Arrojar – v. to throw, hurl, cast, expel

Arrugado – adj. wrinkled

Asombrar – v. to cast a shadow, darken, to astonish, amaze, frighten

Asustar – v. to frighten, scare

Atemorizar – v. to frighten

Atonlondrado – adj. confused

Atrapar – v. to seize, to grab

Aterrizar – v. to land

Ave – n.m. a bird or fowl

Avisar – v. to inform, give notice, advise

B

Banquete – n.m. banquet

Basura – n.f. trash, garbage

Bicho – n.m. bug, insect

Boca – n.f. mouth

Bola – n.f. ball

Bonito – adj. pretty, beautiful

Blando – adj. smooth, soft

Brincar – v. to hop, skip, bounce, leap

Brotar – v. to spring, to bud, to break out (on the skin) to gush

Bruja – n.f. witch, hag

Bruma – n.f. mist, fog

Buitre – n.m. vulture

Burlar – v. to mock, to ridicule, to deceive

Burlón – n.m. jester, teaser

C

Caballo – n.m. horse

Cabeza – n.f. head

Caída – n.f. fall, drop, descent

Caliente – adj. hot

Calor – n.m. heat

Capullo – n.m. cocoon, bud

Caracol – n.m. snail

Carcajada – n.f. loud laughter, a peal of laughter

Castillo – n.m. castle

Causar – v. to cause

Cazador – n.m. hunter

Celda – n.f. cell (as in prison)

Cesar – v. to cease, stop, quit

Ciudadano – n.m. inhabitant, citizen

Cocina – n.f. kitchen

Colchón – n.m. mattress

Colmillo – n.m. fang or tooth

Computador – n.m. computer

Conceder – v. to concede, to grant

Conseguir – v. to get, to obtain, to reach, to attain

Contento – adj. happy, content

Coro – n.m. chorus

Corriente – n.m. stream, current

Crear – v. to create

Cristal – n.m. crystal, transparent

Cucaracha – n.f. cockroach

Cubrir – v. to cover, to hide, to coat

Chorro – n.m. spurt, stream, flow

Chupar – v. to suck, to sip, to absorb

D

Delfín – n.m. dolphin

Desaparecer – v. to disappear

Desatar – v. to untie, to dissolve, to unravel, to unleash

Descolorido – adj. pale

Desesperado – adj. desperate

Desfallecer – v. to grow weak, to faint

Desplomar – v. to faint

Destrozar – v. to shatter, cut to pieces, destroy

Dios – n.m. God

Dorado – adj. golden, gilded

E

Emanar – v. to emanate, to come from

Embriagar – v. to get drunk, to intoxicate

Emperador – n.m. emperor

Enano – n. dwarf, midget

Encender – v. to light, to set fire to, to light up

Encerrar – v. to enclose, to lock up

Enfermedad – n.f. illness, sickness

Enlazar – v. to tie, to rope

Entero – adj. entire, whole, complete

Entorpecer – v. to obstruct, to delay

Escalera – n.f. stairs, staircase or ladder

Escena – n.f. scene

Esconderse – v. to hide

Escuchar – v. to listen to

Escurrir – v. to drip, to drain, to trickle

Esfera – n.f. sphere

Esfumarse – v. to disappear

Espejo – n.m. mirror

Espeso – adj. thick, dense

Esquina – n.f. corner, angle

Estampida – n.f. stampede

Estirar – to stretch, to extend

Estornudar – to sneeze

Estrechar – to tighten, to narrow down, to embrace, to hug

Estruendoso – n.m. clatter, clamor

F

Faltar – v. to miss

Fango – n.m. mud, mire

Fruta – n.f. fruit

Fuerza – n.f. force, strength, power

Fulminar – v. to strike down, to thunder forth

G

Gafas – n.f. glasses, spectacles

Gama – n.f. range

Garbanzo – n.m. chick pea

Gastar – to spend, to wear, to use, to waste

Guardia – n. guard, body of guards, defense, protection

Gigantesco – adj. gigantic

Girar – v. to revolve, rotate, turn

Granizo – n.m. hail (hailstorm)

Guerrero – n.m. warrior

Gusano – n.m. worm, caterpillar

H

Habitante – n.m. inhabitant

Hallar – v. to find, to discover, to find out

Hambriento – adj. hungry, intrusive

Hembra – n.female

Hermoso – adj. beautiful

Héroe – n.m. hero

Hielo – n.m. ice

Hoja – n.f. leaf, sheet of paper or blade

Hombre – n.m. man

Hormiga – n.f. ant

Húmedo – adj. humid, wet

I

Idioma – n.m. language

Igual – adj. equal, even, smooth

Inerte – adj. inert, inactive, sluggish, slow

Ingenuo – adj. frank, sincere, simple, unaffected, naive

Interrogar – v. to interrogate, to question

Intruso – n.m. intruder

Ir – v. to go

Izquierda – n.f. left, left hand, left side

L

Laberinto – m.m. labyrinth, maze

Lacio – adj. withered, languid, limp

Lágrima – n.f. tear

Lamentar – v. to lament, to deplore

Lanzar – v. to fling, throw, eject or launch

Lavaplatos – n.m. dishwasher

Lejano – adj. distant, remote

Lograr – v. to gain, obtain, accomplish, succeed in

Luna – n.f. the moon

Lunar – n.m. birthmark

Luz – n.f. light, clarity, hint

Llanura – n.f. extensive plain, prairie

Llave – n.f. spout (of a faucet), key

Llover – v. to rain

M

Madera – n.f. wood, timber, lumber

Maléfico – adj. evil, harmful

Maltrecho – adj. bruised, injured

Mano – n.f. hand

Manta – n.f. blanket or covering

Mar – n.m. sea

Marcharse – v. to leave

Mariposa – n.f. butterfly

Mandato – n.m. mandate, order, command

Manera – n.f. way, fashion

Masticar – v. to chew

Maullar – to meow

Menjurje – n.m.mixture, concoction

Mezclar – v. to mix

Misión – n.f. mission

Mitad – n.f. half, middle

Momia – n.f. mummy

Monarca – n.m. monarch, king

Moneda – n.f. coin, money

Morada – n.f. residence, home

Mosca – n.f. fly

Monitor – n.m. screen (of a computer)

Musitar – v. to mutter, mumble, whisper

N

Naranja – n.f. orange

Narciso – n.m. narcissus, daffodil, dandy

Nariz – n.f. nose

Narrar – v. to narrate, to tell, to relate

Ninfa – n.f. nymph

Nube – n.f. cloud

O

Occidente – n.m. The West

Ocultar – v. to hide, to conceal

Odio – n.m. hate

Ojo – n.m. eye

Ondulante – adj. wavy

Olor – n.m. smell, odor, fragrance, trace of suspicion

Oprimir – to oppress, to press down

Ordenado – adj. ordered, ordained

Ordenador – n.m. computer

Oruga – n.f. caterpillar

Oso – n.m. bear

Oscuridad – n.f. darkness, obscurity

P

País – n.m. country

Pálido – adj. pale

Pantalla – n.f. screen

Pantano – n.m. dam, swamp

Papá – n.m. dad

Pata – n.f. leg, foot, paw or hoof

Pelota – n.f. ball, spherical shape

Peludo – adj. hairy

Pensativo – adj. pensive, absorbed in thought

Pequeño – adj. small, little

Perezoso – adj. lazy

Perforación – n.f. perforation, hole

Permanecer – v. to remain, to stay

Pesca – n.f. fish caught, fishing

Pescador – n.m. fisherman

Pico – n.m. beak, bill, sharp point, pick

Piedra – n.f. rock

Piel – n.f. skin, hide, leather, fur

Piojo – n.m. louse

Pisar – v. to step on, to trample, to cover

Plato – n.m. dish or plate

Poco – adv. little, small

Posar – v. to pose, to sit down, to perch

Poseer – v. to possess, to own

Potro – n.m. wild horse

Potencia – n.f. power

Preocupación – n.f. worry

Prisa – n.f. haste, speed

R

Rabia – n.f. anger

Rayo – n.m. lightning

Rey – n.m. king

Roer – v. to gnaw

Rápido – adv. quickly, fast

Rastro – n.m. track, trail, trace, sign

Recostarse – v. to lay down

Regadera – n.f. sprinkler

Reino – n.m. kingdom

Repetir – v. to repeat

Reptil – n.m. reptile

Rescatar – v. to rescue

Relinchar – v. to neigh

Rincón – n.m. corner

Risa – n.f. laughter

Robar – v. to steal, to rob

Roca – n.f. rock

Rodear – v. to go around, to surround

Rogar – v. to pray

Rojizo – adj. reddish

Ronco – adj. hoarse, harsh sound

Ronroneo – n.m. purr

S

Salvarse – v. to save one's self

Sagrado – adj. sacred

Sangre – n.f. blood

Sediento – adj. thirsty, dry, desirous

Selva – n.f. forest, jungle

Serpiente – n.f. snake

Silvestre – adj. wild, uncultivated

Sobrevivir – v. to survive

Sofocar – v. to suffocate, choke

Sol – n.m. the sun

Soldado – n.m. soldier

Sombra – n.f. shade

Sombrilla – n.f. parasol

Soplar – v. to blow

Suceder – v. to happen, to occur

Sueño – n.m. dream or sleep

Surgir – v. to appear, to arise, to surge

Sustraer – v. to remove, subtract, withdraw

T

Tambor – n.m. drum

Tecla – n.f. key (as in keyboard)

Telar – n.m. loom

Tembloroso – adj. trembling, shaking

Temeroso – adj. fearful

Templo – n.m. temple

Tibio – adj. tepid

Tirano – n.m. tyrant

Tonalidad – n.f. tonality

Tormenta – n.f. storm, tempest

Trampa – n.f. trap, catch

Travieso – adj. mischevious, restless

Trenza – n.f. tress, braid

Tropezar – v. to stumble, to blunder, to meet

Tubería – n.f. pipes or pipeline

Túnel – n.m. tunnel

Túnica – n.f. a gown

U

Único – adj. only, sole, unique

V

Valiente – adj. brave

Vanidad – n.f. vanity, conceit, emptiness

Verde – adj. green

Vértigo – n.m. dizziness, giddiness

Viajar – v. to travel

Viento – n.m. wind

Volar – v. to fly, fly away, to explode, to irritate, to pique

Voz – n.f. voice, shout, outcry

Y

Yacer – v. to lie, to be lying down